DEUTSCH ALS FREMDSPRACHE   NIVEAUSTUFE A2

TANGRAM *aktuell* 2

Übungsheft

Silke Hilpert

Jutta Orth-Chambah

Hueber Verlag

Quellenverzeichnis

Seite 38:   Foto: Alastair Penny, Berlin
Seite 44:   Text 18 aus: Ursula Wölfel, 28 Lachgeschichten, © 1969 by
            K. Thienemanns Verlag, Stuttgart - Wien
Seite 47:   Fotos: Alastair Penny, Berlin
Seite 53:   Text und Illustrationen aus: Helme Heine, Prinz Bär: ein Bilderbuch
            © Copyright 1987 und 1995 Gertraud Middelhauve Verlag, D-81675 München
Seite 57:   Foto: © ullstein / Galuschka
Seite 59:   Fotos: Gerd Pfeiffer, München
Seite 65:   Text 12 und 13: Silke Hilpert
Seite 68:   City-Karte: Kartographie Huber, München

4.	3.	2.		Die letzten Ziffern
2011	10	09	08 07	bezeichnen Zahl und Jahr des Druckes.

Alle Drucke dieser Auflage können, da unverändert, nebeneinander benutzt werden.
1. Auflage
© 2006 Hueber Verlag, 85737 Ismaning, Deutschland
Umschlagbild: © MEV/MHV
Zeichnungen: LYONN cartoons comics illustration, Köln
Verlagsredaktion: Annette Albrecht
Produktmanagement und Herstellung: Astrid Hansen
Druck und Bindung: Ludwig Auer GmbH, Donauwörth
Printed in Germany
ISBN 978-3-19-221816-3

Inhalt

Inhalt

Junge Leute von heute

Übungen zu Teil A

Wörter-Rätsel

Ergänzen Sie die Wörter und finden Sie dann das Lösungswort.

a) Ich muss jeden Monat für meine Wohnung eine hohe _____ bezahlen.

| M | I | E | T | E |

b) Sie macht eine Lehre. Sie ist _____.

| L | E | H | R | | | |

c) Das kostet nichts. Es ist _____.

| K | O | | | | L | O | S |

d) Er arbeitet nicht. Er _____ kein Geld.

| V | | | D | I | E | | T |

e) Tim hat keine Arbeit. Er ist _____.

| | | B | E | I | T | S | | |

f) Erika braucht niemanden. Sie ist _____.

| U | N | A | B | H | Ä | | | | |

g) Er ist Hausmann, er hat viel mit der _____ zu tun.

| | A | U | S | A | R | | | | |

h) Claudia wohnt mit ihren Freunden zusammen in einer _____.

| W | O | H | N | G | | M | E | I | N | | | | F | T |

i) Ich weiß nicht, was ich nächstes Jahr oder in 5 Jahren mache. Meine _____ ist unsicher.

| Z | | | | | F | T |

j) Ich kann die Wohnung nicht bezahlen. Ich kann mir die Wohnung nicht _____.

| L | E | I | | | | N |

Lösung: Immer mehr Jugendliche bleiben im

E									
a	b	c	d	e	f	g	h	i	j

2 **_Weil_ oder _obwohl_?**

Markieren Sie.

	weil	obwohl
a) Ich kaufe das Sofa nicht, _____ ich kein Geld habe.	X	
b) Er geht in die Disko, _____ er dort seine Freunde treffen möchte.		
c) Sie geht ins Kino, _____ sie den Film schon kennt.		
d) Claudia isst viele Süßigkeiten, _____ sie nicht soll.		
e) Er geht an die Universität, _____ er Medizin studieren will.		
f) Stefan bekommt sicher eine Arbeit, _____ er gute Noten hat.		
g) Ich fahre mit Freunden in Urlaub, _____ meine Eltern das nicht wollen.		

3 **Was passt zusammen?**

Ordnen Sie zu.

1   Sie zieht nach Japan _f_

2   Er hat zwei Autos,

3   Sie wohnt noch bei den Eltern,

4   Er wohnt in einer Wohngemeinschaft,

5   Sie macht eine Ausbildung als Pilotin,

6   Ich kaufe mir kein Auto,

a)   obwohl sie oft Streit mit ihnen hat.

b)   weil er mit seinen Freunden zusammenwohnen will.

c)   obwohl sie nicht gerne fliegt.

d)   obwohl er nicht viel Geld verdient.

e)   weil ich mir keines leisten kann.

f)   obwohl sie nicht Japanisch spricht.

4 **Jugendliche**

Ergänzen Sie _weil_ oder _obwohl_.

a)   Die meisten Jugendlichen bleiben bei den Eltern, _obwohl_ sie unabhängig sein wollen.

b)   Viele junge Leute bleiben zu Hause, _____ die Wohnungen sehr teuer sind.

c)   Ich will in einer Wohngemeinschaft wohnen, _____ es dort oft Chaos und Konflikte gibt.

d)   Auch nach der Ausbildung wohnen viele junge Leute zu Hause, _____ sie keine Arbeit finden.

e)   Immer mehr Jugendliche wollen nicht ausziehen, _____ sie schon arbeiten und Geld verdienen.

f)   Meine Zukunft ist unsicher, _____ ich eine gute Ausbildung und gute Noten habe.

g)   Jugendliche wohnen bei den Eltern, _____ sie sich dann mehr leisten können und auf nichts verzichten müssen.

h)   Es ist schöner bei den Eltern, _____ sie die Hausarbeiten für ihre Kinder machen.

Verben

Ergänzen Sie das passende Verb in der richtigen Form.

a) Er wohnt noch zu Hause, weil er sich keine eigene Wohnung leisten _kann_____ .

b) Ich wohne noch bei meinen Eltern, weil ich Angst vor der Unabhängigkeit _____ .

c) Kai möchte nicht ausziehen, obwohl es oft Streit mit seinen Eltern _____ .

d) Er wohnt noch zu Hause, weil er eine Lehre _____ .

e) Claudia möchte in einem Studentenwohnheim wohnen, obwohl zu Hause alles viel einfacher

_____ .

f) Sie möchte in eine Wohngemeinschaft ziehen, weil sie Probleme mit dem Alleinsein _____ .

g) Ich kann mir eine Wohnung leisten, weil meine Eltern alles _____ .

h) Er kann sich keinen Fernseher kaufen, weil er noch kein Geld _____ .

Warum?

Antworten Sie mit *weil*.

a) Warum kann ich mir die Jeans nicht kaufen?
   (sie – ist – zu teuer)
   _Weil sie zu teuer ist_____ .

b) Warum darf ich nicht in eine Wohngemeinschaft ziehen?
   (du – das Zimmer – nicht – kannst – bezahlen)
   _____ .

c) Warum fahren wir nicht in Urlaub?
   (letztes Jahr – wir – vier Wochen in den USA – waren)
   _____ .

d) Warum bekomme ich kein Auto?
   (das – wir – uns – nicht leisten können)
   _____ .

e) Warum darf ich heute Abend nicht ins Kino gehen?
   (noch – lernen – du – musst)
   _____ .

f) Warum darf ich nicht fernsehen?
   (seit fünf Stunden – du – sitzt – vor dem Fernseher)
   _____ .

g) Warum kann ich nicht meinen Freund Steven anrufen?
   (in Australien – er – wohnt)
   _____ .

7 **Obwohl**

Bringen Sie die Wörter in die richtige Reihenfolge.
Schreiben Sie Sätze mit *obwohl*.

a) **Franz** – in die Disko – gehen – er nicht gerne tanzen
   Franz geht in die Disko, obwohl er nicht gerne tanzt .

b) **Nicola und Maria** – oft Streit haben – sie gute Freundinnen sein
   _____ .

c) **Jan** – seinen Beruf lieben – er wenig Geld verdienen
   _____ .

d) **Isabelle** – gut Deutsch sprechen – sie noch nicht lange in Deutschland leben
   _____ .

e) **Wir** – in die Karibik fahren – wir wenig Geld haben
   _____ .

f) **Vanessa** – Schauspielerin werden – sie Lehrerin werden sollen
   _____ .

g) **Julia** – spät ins Bett gehen – sie morgen früh aufstehen müssen
   _____ .

h) **Klaus** – rauchen – seine Eltern dagegen sein
   _____ .

i) **Michael** – in die Arbeit gehen – er krank sein
   _____ .

Übungen zu Teil B

8 *Haben* **oder** *sein*?

Ergänzen Sie das Präteritum von *haben* oder *sein*.

a) Du __*warst*__ in Italien? – Ja, es _____ super.

b) _____ ihr in der Disko? – Ja, wir _____ wieder viel Spaß.

c) Wo _____ du denn gestern? – Ich _____ mit Sabine im Kino.

d) Er _____ 20 Jahre verheiratet. Jetzt ist er geschieden und lebt allein.

e) Als Kind _____ Lara ihren eigenen Fernseher.

f) Wo _____ ihr denn am Samstag? – Tut uns leid, wir _____ keine Zeit.

g) _____ deine Eltern früher sehr streng? – Meine Mutter ja, aber mein Vater nicht so sehr.

h) Als ich klein war, _____ meine Eltern fast nie zu Hause. Sie _____ wenig Zeit
   für mich.

i) Sabine _____ schon als Kind immer krank.

j) Ihr _____ doch in Urlaub, oder? Wie war's denn? – Das _____ vielleicht ein
   Chaos!

Präteritum der Modalverben

Ergänzen Sie *können – müssen – sollen – wollen – dürfen* im Präteritum in der richtigen Form.

a) er _wollte_ studieren   wollen
b) sie (Pl.) _____ anfangen   müssen
c) wir _____ nicht kommen   können
d) ihr _____ noch bleiben   dürfen
e) ich _____ anfangen   sollen
f) du _____ nicht gehen   dürfen
g) Sie _____ mehr essen   sollen
h) sie _____ nicht mitkommen   können
i) ich _____ lernen   müssen
j) wir _____ ins Kino gehen   dürfen
k) er _____ ins Bett gehen   sollen
l) ihr _____ anfangen   können
m) Sie _____ etwas trinken   wollen
n) sie (Pl.) _____ fahren   müssen
o) du _____ zu Hause bleiben   wollen

Als Kind ...

Ergänzen Sie die passenden Modalverben.

Frau Burkard, Mutter von zwei Kindern, erzählt:

„Meine Eltern waren ziemlich streng.
Als Kind ...“

„Ich möchte nicht so streng sein!
Meine Kinder ...“

durfte – wollte – musste

a) _musste_ ich im Haushalt helfen.

b) _____ ich keine laute Musik hören.

c) _____ ich immer ein Tennisstar werden.

d) _____ ich keine Süßigkeiten essen.

e) _____ ich früh ins Bett gehen.

f) _____ ich nie mit Freunden in Urlaub fahren.

g) _____ ich immer still sitzen.

h) _____ ich nie fernsehen.

i) _____ ich immer das Zimmer aufräumen.

j) _____ ich später mal heiraten und fünf Kinder bekommen.

dürfen – wollen – müssen

a) _müssen_ nicht im Haushalt helfen.

b) _____ auch laute Musik hören.

c) sollen später werden, was sie _____.

d) _____ manchmal Süßigkeiten essen.

e) _____ am Freitag und Samstag nicht früh ins Bett gehen.

f) _____ mit ihren Freunden in Urlaub fahren.

g) _____ nicht still sitzen.

h) _____ oft fernsehen.

i) _____ natürlich auch ihr Zimmer aufräumen.

j) _____ später mal Schauspieler und Sängerin werden.

11 **Was passt nicht?**

Welches Verb passt nicht? Streichen Sie.

a) Letztes Jahr musste/~~muss~~ er ins Krankenhaus.

b) Nächsten Monat hatte/habe ich Urlaub.

c) Früher durfte/darf ich nie allein in die Disko gehen.

d) Seit drei Monaten konnte/kann er gut Deutsch sprechen.

e) Jetzt wollte/will ich ins Bett!

f) Vor vier Jahren hatte/hat er eine eigene Wohnung.

g) Morgen hatte/habe ich einen Termin beim Zahnarzt.

h) Damals konnte/kann er noch gut tanzen.

i) In den 80-er Jahren hatte/hat sie lange Haare.

j) Gestern musste/muss ich nicht arbeiten.

12 **Damals ...**

a) Welche Sätze passen zusammen?

1 Ich war Kind. *b*

2 Ich war 16.

3 Norbert war drei Jahre alt.

4 Sie war Schauspielerin.

5 Er war Student.

a) Sie lernte viele interessante Leute kennen.

b) Ich wollte nie still sitzen.

c) Er wollte in einer Wohngemeinschaft wohnen.

d) Er konnte schon lesen.

e) Ich hatte viel Streit mit meinen Eltern.

b) Wie kann man das noch sagen?

1 *Als Kind wollte ich nie still sitzen*   .

2 *Mit*   .

3 _____ .

4 _____ .

5 _____ .

3 Früher – heute

Ergänzen Sie die Verben.

~~wollte~~ ◆ wollte ◆ wollte ◆ konnte ◆ hatte ◆ war ◆ ist ◆ gab ◆ hat ◆ ist ◆ ~~muss~~ ◆ kann ◆
lebt ◆ kann ◆ arbeitet ◆ konnte ◆ war ◆ wurde ◆ wird ◆ geht

Früher ...

a) _wollte_ sie nur reisen und nicht arbeiten.

b) _____ sie unabhängig und frei.

c) _____ sie immer sofort wütend, wenn sie Streit mit ihren Eltern hatte.

d) _____ sie Musikerin werden.

e) _____ sie sich nur ein Fahrrad leisten.

f) _____ es oft Spaghetti und Mineralwasser zum Abendessen.

g) _____ sie wenig Geld und viel Zeit.

h) _____ sie nie viel Geld für Kleidung ausgeben.

i) _____ sie immer in den USA leben.

j) _____ sie jeden Tag auf Partys.

Heute ...

a) _muss_ sie 12 Stunden pro Tag arbeiten.

b) _____ sie verheiratet.

c) _____ sie immer noch schnell wütend, wenn sie mit ihrem Mann Streit hat.

d) _____ sie Managerin.

e) _____ sie sich ein teures Auto leisten.

f) _____ sie in teure Restaurants zum Essen.

g) _____ sie genug Geld, aber keine Zeit.

h) _____ sie sich Kleider von Armani kaufen.

i) _____ sie in einem Haus in Hinterweidenthal.

j) _____ sie auch abends und am Wochenende.

Übungen zu Teil C

4 Mini-Dialoge

Ergänzen Sie *dürfen – können – wollen – sollen – müssen* im Präteritum in der richtigen Form.

a) _Konntest_ du nicht anrufen? – Ich _____ ja, aber es war immer besetzt.

b) Warum _____ Sie nicht zur Party kommen? – Wir _____ zu Hause bleiben, wir hatten keinen Babysitter.

c) Tut mir leid, Ihr Auto ist noch nicht fertig. – Was? Das _____ doch schon gestern fertig sein.

d) Warum sind deine Hausaufgaben nicht fertig? – Ich _____ sie nicht machen. Ich _____ ja, aber sie waren zu schwer.

e) Peter ist immer noch nicht zu Hause. – Was? Der _____ doch spätestens um 12 Uhr hier sein.

f) _____ du früher alleine in die Disko gehen? – Nein, ich _____ abends nur mit meiner großen Schwester weggehen.

g) Wir fliegen nach Australien! – Ah, Urlaub in Australien! Das _____ ich auch immer mal machen!

15 *sollen* **oder** *müssen?*

Ergänzen Sie *sollen* oder *müssen* im Präteritum.

a) Es ist schon 10 Uhr. Du _solltest_ doch schon um 8 Uhr zu Hause sein!

b) Wo warst du heute Nachmittag? – Ich _____ meinem Freund helfen. Er hat morgen eine Prüfung.

c) Du _____ doch dein Zimmer aufräumen! – Ich weiß, aber ich hatte keine Zeit.

d) Mein Auto _____ bis heute fertig sein, aber der Automechaniker _____ ein paar Ersatzteile besorgen. Jetzt ist es erst am Freitag fertig.

e) Ihr _____ doch Konzertkarten kaufen. – Tut mir leid, aber wir hatten nicht genug Geld dabei.

f) Das war vielleicht ein Chaos. Ich _____ für die Party alles allein organisieren. Angela hilft mir einfach nie!

Übungen zu Teil D

16 **Mini-Dialoge**

Was passt zusammen?

1 Wolltest du nicht mit ins Kino gehen? _e_

2 Musst du nicht deine Hausaufgaben machen? ☐

3 Wir wollten doch in die Disko gehen! Willst du nicht mit? ☐

4 Musst du jetzt nicht ins Bett gehen? ☐

5 Wolltet ihr nicht nach Spanien fliegen? ☐

a) Doch, aber Klaus bekommt keinen Urlaub.

b) Eigentlich schon, aber meine Eltern haben es nicht erlaubt.

c) Nein, ich bin nicht müde!

d) Doch, aber sie sind zu schwer.

e) Doch, aber ich kenne den Film schon!

17 *Ja – nein – doch*

Ergänzen Sie *ja – nein – doch*.

a) Du wolltest doch nach Kreta fliegen!
   _Ja_____, eigentlich schon. Aber ich konnte nicht! Ich habe kein Geld mehr.

b) Entschuldigung, aber ich sollte doch um zehn Uhr hier sein! Ich habe einen Termin bei Herrn Maier.
   _____, das ist richtig, aber Herr Maier musste unbedingt weg.

c) Wolltest du nicht in eine Wohngemeinschaft ziehen?
   _____, ich möchte lieber bei meinen Eltern wohnen bleiben.

d) Klaus, du solltest doch einkaufen!
   _____. Ich wollte ja, aber ich musste erst meine Hausaufgaben machen.

e) Wo warst du gestern? Wolltest du nicht auch zum Deutschkurs gehen?
   _____! Aber fängt der nicht erst nächste Woche an?

f) Du wolltest doch die Waschmaschine reparieren!
   _____, aber ich konnte das Werkzeug nicht finden.

g) Musst du nicht für die Deutscharbeit lernen?
   _____, die ist doch erst nächste Woche! Da habe ich noch Zeit!

h) Musst du heute nicht arbeiten?
   _____, aber nur am Nachmittag.

Urlaub und Reisen

Übungen zu Teil A

Urlaub und Reisen

Was passt zusammen? Ordnen Sie zu.

Campingurlaub ◆ Strandurlaub ◆ Entspannungs-Wochenende ◆ Rundreise ◆ Weltreise ◆
Familienferien ◆ Städtereise ◆ Ausflug ◆ Kreuzfahrt

1

_____

2

_____

3

_____

4

_____

5

_____

6

_____

7

_____

8

_____

9

_____

Wie heißt der Infinitiv?

Ergänzen Sie die Tabellen.

Perfekt	Infinitiv
abgeflogen	*abfliegen*
gesehen	
kennen gelernt	
genommen	
gelegen	
mitgemacht	
gefaulenzt	
verloren	
angekommen	

Perfekt	Infinitiv
eingeschlafen	
gegangen	
getroffen	
verpasst	
eingeladen	
gebraucht	
gesucht	
gefunden	
geblieben	

3   Tabelle

Ordnen Sie die Verben in die Tabelle ein.

~~machen~~ ◆ ~~schlafen~~ ◆ besuchen ◆ einkaufen ◆ abfliegen ◆ beginnen ◆ essen ◆ zurückfahren ◆
spielen ◆ erzählen ◆ bekommen ◆ verpassen ◆ lernen ◆ fliegen ◆ warten ◆ aufwachen ◆
trinken ◆ umsteigen ◆ besichtigen ◆ vergessen

ge /... / (e)t	ge /... / en	... ... /t
gemacht	geschlafen	

... / ge /... / (e)t	... / ge /... / en	... ... /en

4   Dann bleiben wir eben zu Hause!

Ergänzen Sie den Notizzettel und schreiben Sie.

packen ◆ telefonieren ◆ ~~kaufen~~ ◆ abholen ◆ bringen ◆ verlängern ◆ aufräumen ◆ besorgen ◆ wechseln

Nicht vergessen!
Filme _____ kaufen _____
Wohnung _____
Auto aus der Werkstatt _____
Pass _____
Koffer _____
Hund zu Onkel Karl _____
Medikamente _____
Geld _____
Mit Mutter _____!!!

▲ Du, ich habe dir einen Notizzettel geschrieben! Hast du alles gemacht?

● a) Also, die Filme ___*habe*___ noch nicht ___*gekauft*___.
   b) Die Wohnung _____ noch nicht _____.
   c) Das Auto _____ noch nicht _____.
   d) Den Pass _____ noch nicht _____.
   e) Den Koffer _____ noch nicht _____.
   f) Den Hund _____ noch nicht zu Onkel _____.
   g) Die Medikamente _____ noch nicht _____.
   h) Geld _____ noch nicht _____.
   i) Aber ich _____ schon mit meiner Mutter _____!

▲ Na, super. Wie willst du das alles bis morgen schaffen?
   Dann bleiben wir eben zu Hause!

5 Perfekt

Ergänzen Sie das Verb im Perfekt.

a) Er hat eine Rundreise _gemacht_____. (machen)

b) Sabine ist im Urlaub krank _____. (sein)

c) Gestern habe ich Juan am Strand _____. (treffen)

d) Fred hat seinen Pass und sein Geld im Urlaub _____. (verlieren)

e) Hast du schon deinen Koffer _____? (packen)

f) Mein Onkel hat uns am Flughafen in New York _____. (abholen)

g) Wir haben uns 30 Jahre nicht _____. (sehen)

h) Im Flugzeug bin ich sofort _____. (einschlafen)

i) Er hat seine Kamera zu Hause _____. (vergessen)

j) Wie lange seid ihr in Österreich _____? (bleiben)

k) Ich habe eine Postkarte von Nina aus Schweden _____. (bekommen)

6 Eine Städtereise

Ergänzen Sie das Verb im Perfekt.

einkaufen ◆ fahren ◆ fahren ◆ setzen ◆ kennenlernen ◆ machen ◆ ~~ankommen~~ ◆ essen ◆
trinken ◆ auspacken ◆ verpassen

Betreff: Mein erster Tag in Paris

Liebe Katharina,

ich bin gut in Paris _angekommen_ (1). Es war ein bisschen chaotisch, weil ich in Berlin fast das
Flugzeug _____ (2) habe. Zuerst bin ich mit dem Taxi ins Hotel _____ (3).
Dort habe ich sofort meinen Koffer _____ (4) und bin gleich mit der U-Bahn in die Stadt
_____ (5) und habe eine Stadtrundfahrt _____ (6). Die Stadt ist einfach toll!
So viele Geschäfte. Und du kennst mich ja! Ich habe sofort _____ (7).
Dann habe ich mich in ein Café _____ (8). Dort habe ich einen Kaffee
_____ (9) und ein Stück Kuchen _____ (10). Und stell dir vor! Ich habe
sofort einen Jungen aus Österreich _____ (11). Er bleibt 3 Tage! ☺

Ich schreibe dir bald wieder.

Muss schon wieder los!

Deine Anna

7 *haben* oder *sein*?

Welche Verben bilden das Perfekt mit *sein* und welche mit *haben*?
Markieren Sie.

	mit *haben*	mit *sein*
a) essen	X	
b) einschlafen		
c) besuchen		
d) vergessen		
e) aufwachen		
f) erleben		
g) ankommen		
h) einkaufen		

8 **Eine Reise nach Japan**

Ergänzen Sie *haben* oder *sein* in der richtigen Form.

Christian berichtet von seiner letzten Reise:

Letzes Jahr _bin_____ (1) ich mit meiner Freundin in Japan gewesen. Die Nacht vor unserem

Flug _____ (2) ich nur vier Stunden geschlafen. Wir _____ (3) schon um drei

Uhr nachts aufgestanden. Dann _____ (4) wir ein Taxi zum Flughafen genommen.

Wir _____ (5) nur eine halbe Stunde gewartet und dann unser Gepäck abgegeben.

Wir _____ (6) mit Air Lanka geflogen. Der Flug _____ (7) 14 Stunden

gedauert. Wir _____ (8) in Abu Dhabi und Hongkong gelandet und in Colombo

umgestiegen. Endlich _____ (9) wir in Tokio angekommen. Das war vielleicht aufregend!

Wir _____ (10) mit der U-Bahn in unser Hotel gefahren. Ich _____ (11)

geduscht und _____ (12) sofort eingeschlafen. Ich _____ (13) 14 Stunden

geschlafen. Wir _____ (14) um zehn Uhr aufgewacht und _____ (15)

gefrühstückt. Dann _____ (16) wir sofort losgegangen und _____ (17) die

Stadt besichtigt.

9 **Ein Brief aus dem Urlaub**

Hier sind Reisenotizen. Schreiben Sie den Brief rechts. Beginnen Sie die Sätze mit dem ersten Wort.

Der Flug – lang – ganz schön – hat – gedauert

Wir – in Havanna – todmüde in der Nacht – sind – angekommen – und – gefahren – ins Hotel

Erst am nächsten Tag – haben – das Hotel und den Strand – wir – gesehen

Tagsüber – haben – wir – gelegen – am Strand in der Sonne

Wir – getaucht – viel – sind – auch

Ich – viel – gelesen – habe – und – Julian – ist – gesurft

Einmal – einen Ausflug – nach Havanna – wir – haben – gemacht

Dort – viele – besichtigt – Sehenswürdigkeiten – haben – wir

Ich – natürlich – habe – gekauft – Souvenirs

In der Lieblingsbar – von Hemingway – einen Cocktail – haben – getrunken – wir

Wir – in den Bergen – sind – gewandert – auch

Auf unserer Wanderung – wir – kennengelernt – nette Leute – haben

Hallo, ihr Lieben!
Wir sind jetzt schon eine Woche hier auf Cuba. Der Strand ist traumhaft.
Der Flug hat ganz schön lange gedauert.

Schade, dass der Urlaub schon morgen vorbei ist! Ich freue mich schon, euch die Fotos zu
zeigen. Bis bald!
Liebe Grüße
Jutta

Übungen zu Teil C

10 Rätsel: Komposita

Welches Wort fehlt? Ergänzen Sie die Wörter unten.

a) Ich habe in einem Buch einen ? über Kenia gelesen.
b) Gestern bin ich ins ? gegangen und habe meinen Flug nach Wien gebucht.
c) Vor einer Reise habe ich immer ? . Dann bin ich ganz nervös.
d) Ich habe schon ein paar Medikamente gekauft. Was brauchen wir noch für die ? ?
e) Musst du immer so viel ? mitnehmen? Du darfst doch nur 20 Kilo haben.
f) Du fährst nach Korea? Aber du sprichst doch kein Koreanisch! – Das stimmt, aber wir haben einen ? .
   Er organisiert alles und spricht Koreanisch.

a) Reise *bericht* _____

b) Reise_____

c) Reise_____

d) Reise_____

e) Reise_____

f) Reise_____

11 Was für eine Reise ist das?

Ergänzen Sie die Komposita.

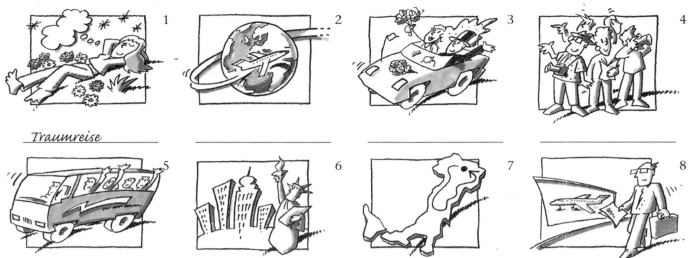

Traumreise _____   1

_____   2

_____   3

_____   4

_____   5

_____   6

_____   7

_____   8

12 Toll oder schrecklich?

Ergänzen Sie.

furchtbar langweilig ◆ wirklich sauer ◆ fix und fertig ◆ wirklich interessant ◆ ~~fantastisch~~ ◆
ganz schön anstrengend ◆ einfach super

Frau und Herr Klein waren im Urlaub. Sie erzählen von ihrem letzten Urlaub.

Herr Klein:

■ Es war _fantastisch_ _____ (1)!

■ Ja. Aber wir haben so viele Leute kennengelernt!

■ Und die Disko! _____ (4)!
Tolle Musik! Wir haben so viel getanzt.

■ Und die Ausflüge, die wir gemacht haben!
Die waren _____ (6).
Wir haben so viel vom Land gesehen.

■ Also, nächstes Jahr fahren wir wieder dorthin.

Frau Klein:

● Was? Für mich war es überhaupt nicht interessant. Vier Wochen nur am Strand, das war
_____ (2).

● Ja, vor allem Frauen! Karl war die ganze Zeit mit seinem Freund unterwegs. Ich war _____
_____ (3) auf die beiden.

● Für dich war die Disko vielleicht toll. Also, ich war jeden Morgen total müde. Beim Frühstück war ich
immer _____ (5).

● Ja, bei 40 Grad! Für mich war das _____
_____ (7)!

● Nein, ich bleibe zu Hause, das ist billiger und ich habe auch meinen Spaß.

Übungen zu Teil D

3 Jan zurück von seiner Weltreise.

Ergänzen Sie die Endungen.

Erzähl doch mal! Ich bin schon ganz neugierig.

a) Welch_e___ Länder hast du besucht?

b) Und welch_____ Land hat dir besonders gut gefallen?

c) Aus welch_____ Land hast du mir etwas mitgebracht?

d) Welch_____ Souvenirs bekomme ich?

e) Welch_____ Stadt findest du schön?

f) Welch_____ Spezialität ist typisch für Indien?

g) Welch_____ Essen konntest du überhaupt nicht essen?

Langsam! Ich erzähle dir alles zu Hause. O. k.?

4 Geografie

Betrachten Sie die Karte im Kursbuch auf S. 20. Ergänzen Sie.

in ◆ in ◆ am ◆ im Norden ◆ an ◆ an ◆ im Süden ◆ südlich ◆ bei ◆ bei

a) _In_____ Heidelberg gibt es eine alte Universität.

b) Das Schloss Neuschwanstein liegt _____ von München.

c) Bayern ist das größte Bundesland und liegt _____ von Deutschland.

d) Potsdam ist eine Stadt _____ Berlin.

e) Kiel liegt _____ der Ostsee.

f) Frankreich grenzt _____ das Saarland und Rheinland-Pfalz.

g) Goethe ist _____ Frankfurt am Main geboren.

h) Wiesbaden liegt _____ Rhein.

i) Schleswig-Holstein liegt _____ von Deutschland.

j) Düsseldorf liegt _____ Köln.

15 **Gespräch über eine Reise**

Was passt zusammen? Ordnen Sie die Antworten den Fragen zu.

1 ■ Hallo, Karin! Du bist so braun. Warst du im Urlaub? *e*

2 ■ Und hat es dir gefallen?

3 ■ Und wie war das Hotel?

4 ■ Und wie war der Strand?

5 ■ Was habt ihr denn von Spanien gesehen?

6 ■ Und was hast du abends gemacht?

7 ■ Und wie war das Wetter?

8 ■ Ach, und jetzt musst du wieder arbeiten, du Arme. Schrecklich! Nach so einem schönen Urlaub.

a) ● Super! Es war ein Fünf-Sterne-Hotel. Wirklich fantastisch.

b) ● Wir sind fast jeden Abend in die Disko gegangen.

c) ● Der war furchtbar. Zu viele Touristen. Anfangs war ich ganz schön sauer.

d) ● Wir haben ein Auto gemietet und sind nach Málaga und Córdoba gefahren.

e) ● Ja, ich war doch mit Nicola in Spanien.

f) ● Ja, sehr. Der Urlaub war wirklich toll.

g) ● Ja, leider. Ich habe gar keine Lust.

h) ● Immer Sonne. Nur einmal hat es geregnet.

16 **Jans Reisetagebuch**

Ordnen Sie die Ausdrücke den Bildern zu und schreiben Sie dann Sätze im Perfekt.
Was hat Jan alles auf seiner Weltreise erlebt?

fast die ganze Zeit regnen ◆ viele Tempel sehen ◆ ~~Wetter schlecht sein~~ ◆ schöne Souvenirs kaufen ◆
eine Safari machen ◆ Freund Adrian besuchen ◆ am Strand liegen ◆ Beach-Volleyball spielen ◆
stundenlang durch die Stadt laufen ◆ viel wandern ◆ viele Tiere fotografieren

England, Cornwall
Das Wetter war schlecht.
Es _____
_____
Aber _____
_____

Australien, Brisbane
Nach fünf Jahren _____
_____
Jeden Tag _____
und _____
_____

Thailand, Bangkok
Eine wunderbare Stadt!
Stundenlang _____
_____
und _____
Für meine Freunde _____
_____

Südafrika, Krüger Park
In Südafrika _____
_____
Und ich _____
_____

Übungen zu Teil A

1 Körperteile

Welches Wort passt?

Lunge ◆ Mund ◆ Busen ◆ Kopf ◆ Arm ◆ ~~Fuß~~

a) Bein – Knie – *Fuß* _____

b) Auge – Nase – _____

c) Finger – Hand – _____

d) Bauch – Brust – _____

e) Ohr – Haare – _____

f) Herz – Magen – _____

2 Buchstabensalat

Was für Schmerzen sind das?
Schreiben Sie.

h) A-B-C-U-A
_____

g) N-R-K-E-C-Ü
_____

a) Z-H-R-E
*Herz*_____

f) F-K-P-O
_____

-schmerzen

b) S-L-A-H
_____

e) N-A-H-Z
_____

c) G-N-M-E-A
_____

d) H-O-R-N-E
_____

3 Wie geht's dir?

Ergänzen Sie die Wörter.

Und wie war's?

Naja, der Abend gestern war toll. Aber heute...

a) Erst waren wir im Restaurant und ich habe zu viel gegessen. Heute habe ich ☐☐☐☐☐ SCHMERZEN.

b) Dann sind wir noch in die Disko. Ich habe viel getanzt. Heute habe ich ☐☐☐☐☐☐☐ SCHMERZEN.

c) Ich bin viel zu spät ins Bett. Jetzt habe ich schreckliche ☐☐☐☐ SCHMERZEN.

d) Ich glaube, ich werde krank. Ich habe Husten und ☐☐☐☐☐☐☐☐.

e) Und ich glaube, ich habe sogar ein bisschen ☐☐☐☐☐☐.

4 Beim Arzt

Ergänzen Sie den Dialog.

<del>Guten Tag, Frau Nocke</del> ◆ Wie lange haben Sie denn die Schmerzen schon ◆ Wo tut's denn weh ◆
Ich verschreibe Ihnen ein Medikament ◆ gute Besserung ◆ Na, was fehlt Ihnen denn

Arzt:

■ _Guten Tag Frau Nocke_____.

■ _____
_____?

■ _____
_____?

■ _____
_____?

■ Was haben Sie denn gegessen und getrunken?

■ Ah, das ist viel.

■ Sehr viel, ja. _____
_____
gegen die Bauchschmerzen.

■ Auf Wiedersehen und _____
_____.

Patientin:

● Guten Tag, Herr Doktor.

● Ich habe schreckliche Bauchschmerzen.

● Seit gestern.

● Hier oben. Aua!

● Zwei Steaks, ein paar Kartoffeln mit Soße, einen Salat, ein paar Gläschen Bier, als Nachspeise drei Stück Kuchen und einen Kaffee.

● Viel?

● Vielen Dank!

● Auf Wiedersehen und danke.

5 Rudi Ratlos

Ergänzen Sie.

Diät ◆ Obst und Gemüse ◆ Hobby ◆ Ernährung ◆ <del>Sport</del> ◆ Friseur ◆ Leute ◆ Alkohol

Rudi Ratlos hat viele Probleme. Geben Sie ihm Tipps.

Rudi, du solltest ...
a) regelmäßig _Sport_____ treiben.
b) eine _____ machen oder
c) die _____ umstellen.
d) mehr _____ essen.
e) keinen _____ trinken.
f) zum _____ gehen.
g) neue _____ kennenlernen.
h) dir ein interessantes _____ suchen. Und nicht nur fernsehen.

6 **Sie sollten ...**

Ergänzen Sie die Sätze.

Frau Dr. Kalteis gibt ihren Patienten Tipps:

Sie sollten viel trinken! _____

_____

_____

_____

_____

7 **Tipps geben**

Ergänzen Sie.

mehr ◆ weniger ◆ früher

a) Ich bin immer müde! – Du solltest _*mehr*_____ schlafen.

b) Ich bin zu dick! – Du solltest _____ Sport machen und _____ Süßigkeiten essen.

c) Ich habe Kopfschmerzen! – Du solltest _____ rauchen!

d) Ich bin oft krank! – Du solltest _____ ins Bett gehen und _____ Obst essen.

8 Silbenrätsel

Suchen Sie neun Nahrungsmittel.

ren ◆ ~~de~~ ◆ korn ◆ tof ◆ gel ◆ che ◆ ~~trei~~ ◆ si ◆ sen ◆ bee ◆ na ◆ nen ◆
feln ◆ ma ◆ ten ◆ schen ◆ brot

a) Ge_treide_____

b) Kar_____

c) Voll_____

d) Erd_____

e) Pfir_____

f) Erb_____

g) Kir_____

h) To_____

i) Ba_____

9 Lebensmittel

Ein Wort passt nicht. Streichen Sie.

a) Nudeln – Brötchen – Müsli – ~~Stachelbeeren~~

b) Trauben – Mehl – Äpfel – Johannisbeeren

c) Tee – Walnüsse – Säfte – Wasser

d) Haferflocken – Paprika – Spargel – Bohnen

e) Joghurt – Käse – Öl – Milch

f) Wurst – Schinken – Steak – Quark

10 Adjektive

Wie heißt das Gegenteil? Markieren Sie.

a) wenig

- X viel
- ☐ vielleicht
- ☐ bequem

b) schnell

- ☐ lang
- ☐ langsam
- ☐ lustig

c) hoch

- ☐ klein
- ☐ niedrig
- ☐ nett

d) groß

- ☐ kleinlich
- ☐ klar
- ☐ klein

e) jung

- ☐ alt
- ☐ altmodisch
- ☐ bekannt

f) dick

- ☐ beliebt
- ☐ dumm
- ☐ dünn

g) arm

- ☐ teuer
- ☐ reich
- ☐ wertvoll

h) gesund

- ☐ faul
- ☐ aktiv
- ☐ krank

i) interessant

- ☐ wichtig
- ☐ fröhlich
- ☐ langweilig

1 **Tabelle**

Ordnen Sie die Adjektive in Gruppen ein und schreiben Sie den Komparativ und den Superlativ dazu.

~~klein~~ ◆ ~~groß~~ ◆ ~~viel~~ ◆ wenig ◆ dünn ◆ gesund ◆ langsam ◆ lang ◆ gut ◆ lustig ◆ ruhig ◆ alt ◆
gern ◆ jung

Typ „klein"	a-ä/u-ü/o-ö	unregelmäßig
klein – kleiner – am kleinsten	*groß – größer – am größten*	*viel – mehr – am meisten*

2 **Ab jetzt lebe ich gesund!**

Ergänzen Sie die Adjektive im Komparativ.

wenig ◆ ~~viel~~ ◆ viel ◆ früh ◆ fröhlich ◆ schön ◆ jung ◆ schlank ◆ gut

a) Ich treibe ___*mehr*___ Sport.
b) Ich rauche viel _____.
c) Ich esse jetzt _____ Obst und Gemüse.
d) Meine Ernährung ist jetzt viel _____.
e) Ich gehe _____ ins Bett.
   Und weißt du was?
f) Ich bin viel _____. Ich habe 10 kg abgenommen.
g) Und ich bin zum Friseur gegangen. Meine Frisur ist jetzt viel _____.
h) Ich sehe einfach 10 Jahre _____ aus.
i) Jeder Tag ist wunderbar! Ich bin jetzt viel _____.

3 **Frau Schwarz ist nie zufrieden.**

Was sagt Frau Schwarz? Wie heißt das Gegenteil? Ergänzen Sie die Adjektive im Komparativ.

Frau Weiß' …
a) Haus ist groß!
b) Arbeit ist interessant!
c) Auto ist schnell!
d) Mann ist jung!
e) Kleider sind teuer!

Frau Weiß ist …
f) reich!
g) schlank!

Aber sie ist auch …
h) sehr, sehr langweilig!

Mein Haus ist viel *kleiner* _____!
Meine Arbeit ist viel _____!
Mein Auto ist viel _____!
Mein Mann ist viel _____!
Meine Kleider sind viel _____!

Ich bin viel _____!
Ich bin viel _____!

Ich bin viel _____!

14 **Vergleichen**

Vergleichen Sie. Schreiben Sie Sätze mit folgenden Adjektiven.

alt ◆ gesund ◆ interessant ◆ teuer ◆ reich ◆ ~~schnell~~ ◆ groß

a) Fahrrad   Zug   Flugzeug
   Der Zug ist schneller als das Fahrrad. Das Flugzeug ist am schnellsten .

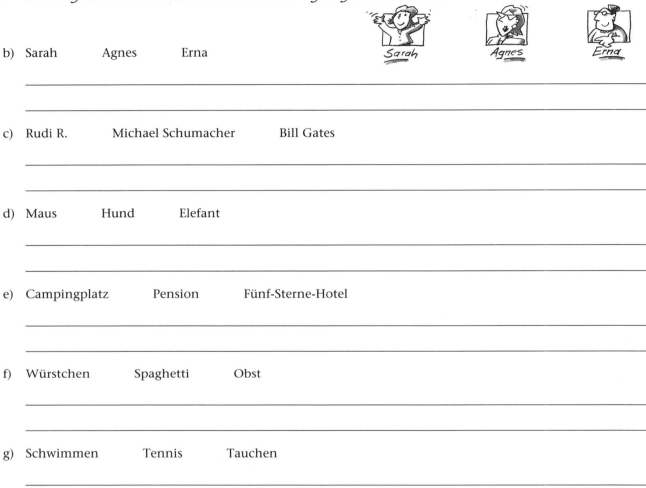

b) Sarah   Agnes   Erna

_____

_____ .

c) Rudi R.   Michael Schumacher   Bill Gates

_____

_____ .

d) Maus   Hund   Elefant

_____

_____ .

e) Campingplatz   Pension   Fünf-Sterne-Hotel

_____

_____ .

f) Würstchen   Spaghetti   Obst

_____

_____ .

g) Schwimmen   Tennis   Tauchen

_____

_____ .

15 **Superlativ**

Ergänzen Sie das Adjektiv im Superlativ.

a) Ich finde, Dr. Dettmar ist der _*beste*_____ Arzt. | gut
b) Ingrid kauft sich sicher wieder das _____ Kleid. | teuer
c) Das _____ Fleisch bekommst du bei der Metzgerei Vincent. | billig
d) Eva ist die _____ Schülerin in unserer Klasse. | jung
e) Die Zugspitze ist der _____ Berg in Deutschland. | hoch
f) Montag war der _____ Tag im August. | warm
g) Er ist der _____ Junge in unserem Tennisclub. | sportlich
h) Florian ist nett. Ich mag ihn am _____. | gern
i) Wie komme ich am _____ nach Berlin? | schnell
j) Wie lerne ich am _____ Vokabeln? | einfach
k) Das war der _____ Tag in meinem Leben. | schön

6 Dass-Sätze

Schreiben Sie Sätze.

a) Frau Pitz – im Krankenhaus – sein
   Ich glaube, dass *Frau Pitz im Krankenhaus ist* .

b) Gisela – Grippe – haben
   Ich vermute, dass _____ .

c) ich – eine Diät – machen sollen
   Der Arzt hat gesagt, dass _____ .

d) der dickste Mann – 404 Kilo – wiegen
   Wusstest du, dass _____ ?

e) Sybille und Otto – geheiratet haben
   Ich habe gehört, dass _____ .

f) Andreas – jeden Tag – ins Fitnessstudio – gehen
   Wusstest du, dass _____ ?

g) sie – einen tollen Mann – kennengelernt – haben
   Sie hat mir erzählt, dass _____ .

h) sie – nächstes Jahr – nach Deutschland – kommen wollen
   Karen hat geschrieben, dass _____ .

Übungen zu Teil C

7 Essgewohnheiten

Ergänzen Sie die Verben in der richtigen Form.

zunehmen ◆ nehmen ◆ ~~achten~~ ◆ essen ◆ trinken ◆ reichen ◆
halten ◆ gehen ◆ machen ◆ haben ◆ genießen

Frau Schön erzählt über ihre Essgewohnheiten:

Früher habe ich alles Mögliche gegessen. Da war ich ganz schön dick. Jetzt *achte* (1)

ich auf meine Ernährung. Ich _____ (2) mir immer Zeit für das Essen. Niemals

_____ (3) ich auf die Schnelle beim Imbiss oder so. Zum Frühstück esse ich ein wenig

Obst und _____ (4) einen Tee. Mittags esse ich so richtig, meistens warm. Früher habe

ich dann noch einen Kaffee getrunken und ein Stück Kuchen gegessen. Da habe ich ständig zwischendurch

gegessen. Ich hatte immer Hunger, besonders auf Süßes. Jetzt esse ich nur dreimal pro Tag. Abends esse ich

nur ein Brot mit Diätkäse. Das _____ (5) mir. Am Abend esse ich nie warm. Ich möchte

nicht wieder _____ (6). Dann _____ (7) ich regelmäßig ins

Fitnessstudio und _____ (8) zwei bis drei Stunden Aerobic. Wenn ich nach Hause

komme, _____ (9) ich meistens Hunger. Aber ich _____ (10) mich

zurück. Und wenn ich dann mal schick essen gehe, kann ich das so richtig _____ (11).

18　**Was tun, wenn …?**

Was passt zusammen?

1　Wenn ich Kopfschmerzen habe, *e*　　　a)　nehme ich immer zu viel Gepäck mit.
2　Wenn ich nervös bin,　　　　　　　　b)　esse ich weniger Süßigkeiten.
3　Wenn ich in Urlaub fahre,　　　　　　c)　rauche ich immer zu viel.
4　Wenn ich 40 werde,　　　　　　　　d)　spreche ich mit meinem Chef.
5　Wenn ich Liebeskummer habe,　　　　e)　nehme ich immer sofort eine Tablette.
6　Wenn ich zu viel Arbeit habe,　　　　f)　mache ich eine große Feier.
7　Wenn ich abnehmen möchte,　　　　　g)　rufe ich immer meine beste Freundin an.
　　　　　　　　　　　　　　　　　　　　　　Dann geht es mir besser.

19　**Ich bin glücklich, wenn …**

Schreiben Sie Sätze.

Ich bin glücklich, …

a)　auf einer Wiese liegen und in den　　*wenn ich auf einer Wiese liege und*
　　Himmel sehen　　　　　　　　　　　　　　　　　　　　　　　　　　　　.

b)　schöne Musik hören und tanzen　　　　　　　　　　　　　　　　　　　.

c)　mit Freunden einen netten Abend
　　verbringen können　　　　　　　　　　　　　　　　　　　　　　　　　　.

d)　du mich in den Arm nehmen　　　　　　　　　　　　　　　　　　　　　.

e)　stundenlang mit einer Freundin
　　über Gott und die Welt reden　　　　　　　　　　　　　　　　　　　　.

f)　im Sommer durch den warmen Regen laufen　　　　　　　　　　　　　　.

g)　im Meer schwimmen können　　　　　　　　　　　　　　　　　　　　.

h)　einen Liebesbrief bekommen haben　　　　　　　　　　　　　　　　　.

20　**Ratschläge**

Verbinden Sie die Sätze mit *wenn*.

a)　Du hast Heimweh? Ruf mich an.
　　Ruf mich an, wenn du Heimweh hast　　　　　　　　　　　　　　　　.

b)　Du bist zu dick? Mach eine Diät.
　　　　　　　　　　　　　　　　　　　　　　　　　　　　　　　　　　.

c)　Sie haben immer noch Schmerzen? Nehmen Sie ein anderes Medikament.
　　　　　　　　　　　　　　　　　　　　　　　　　　　　　　　　　　.

d)　Du hast seit einer Woche Fieber? Du musst zum Arzt gehen.
　　　　　　　　　　　　　　　　　　　　　　　　　　　　　　　　　　.

e)　Du fährst nach Spanien? Besuch doch bitte Carlos.
　　　　　　　　　　　　　　　　　　　　　　　　　　　　　　　　　　.

f)　Ihr habt nichts zu tun? Ihr könnt einkaufen gehen.
　　　　　　　　　　　　　　　　　　　　　　　　　　　　　　　　　　.

g)　Sie sind traurig? Sie sollten ein lustiges Buch lesen.
　　　　　　　　　　　　　　　　　　　　　　　　　　　　　　　　　　.

Übungen zu Teil D

1 wann oder wenn?

Markieren Sie.

	wann	wenn
a) … hast du Zeit? Am Donnerstag.	X	
b) … ihr Zeit habt, können wir morgen Abend essen gehen.		
c) Ich esse leider immer zu viel, … ich Probleme habe.		
d) … hast du einen Termin beim Arzt?		
e) Was machst du, … du verliebt bist?		
f) … soll ich kommen? Morgen?		
g) … ist sie mit dem Studium fertig?		
h) … ihr kommt, können wir zusammen kochen.		
i) … beginnt der Film?		

2 -heit oder -keit?

Machen Sie aus den Adjektiven Nomen. Ordnen Sie die Nomen in die Tabelle ein.

anständig ◆ belastbar ◆ wahr ◆ traurig ◆ persönlich ◆ gemein ◆ möglich ◆ frei ◆ natürlich ◆ beliebt

mit -heit	mit -keit
	anständig – die Anständigkeit

Übungen zu Teil F

3 Was sagt man?

Ordnen Sie die Antworten zu. Ergänzen Sie die Sprechblasen.

Danke, gleichfalls. ◆ Stimmt so. ◆ Nein, getrennt bitte. ◆ Ja, es ist wirklich lecker.

a) (Und schmeckt's?) _____

b) (Das macht 27,50.) (Hier sind 30 Euro. _____)

c) (Alles zusammen?) _____

d) (Guten Appetit!) _____

24 Gespräche im Restaurant

Ergänzen Sie die Dialoge.

Herr Ober, wir möchten bezahlen! ◆ Stimmt so! ◆
Wir haben einen Tisch reserviert, auf den Namen Klein. ◆ Hier die Speisekarte! ◆
Ich nehme ein Bier. ◆ Ja, aber eine Frage: Was für eine Tagessuppe haben Sie heute? ◆
Noch eine Frage: Was ist „Reiberdatschi"? ◆ Und Sie? Was wünschen Sie? ◆ Danke, gleichfalls. ◆
Nein, ich hätte gern ein Mineralwasser. ◆ ~~Guten Abend.~~

Gespräch 1

● Guten Abend!

■ _Guten Abend._

_____

● Ja, richtig, Tisch Nummer 12. Kommen Sie bitte mit.

_____

Was möchten Sie trinken?

■ _____

● Und Sie? Auch ein Bier?

■ _____

_____

Gespräch 3

■ _____

● Zusammen oder getrennt?

■ Zusammen, bitte.

● Das macht 14,80.

■ _____

● Vielen Dank, schönen Abend noch!

■ _____

Gespräch 2

● Haben Sie schon gewählt?

■ _____

_____

_____

_____

● Heute gibt es Tomatensuppe.

■ _____

_____

● Das sind Pfannkuchen aus
Kartoffeln.

■ Aus Kartoffeln? Nein, ich
nehme lieber den Bauernsalat.

● _____

_____

■ Das Steak mit Kartoffeln und
Gemüse, bitte.

Farben und Typen

Übungen zu Teil A

1 Farben

Was passt zusammen?

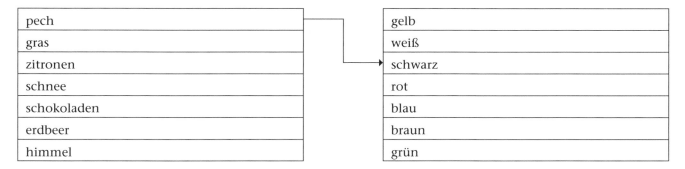

pech	gelb
gras	weiß
zitronen	schwarz
schnee	rot
schokoladen	blau
erdbeer	braun
himmel	grün

2 Wie heißt das Nomen?

Ergänzen Sie.

neidisch	*der Neid*	dunkel	
ruhig		gefährlich	
treu		einsam	
aktiv		ängstlich	
traurig		fantasievoll	

3 Gegenteile

Suchen Sie das Gegenteil. Ordnen Sie zu.

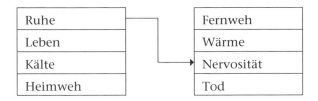

Ruhe	Fernweh	hell	negativ
Leben	Wärme	fröhlich	frisch
Kälte	Nervosität	alt	traurig
Heimweh	Tod	positiv	dunkel

4 Genitiv

Ergänzen Sie.

a) Blau ist die Farbe d*es*____ Meeres.

b) Schwarz ist die Farbe d_____ Nacht.

c) Gelb ist die Farbe d_____ Sonne.

d) Grün ist die Farbe d_____ Pflanzen.

e) Rot ist die Lieblingsfarbe mein_____ Enkels.

f) Gelb ist die Lieblingsfarbe mein_____ Freundin.

5 **Tabelle: Akkusativ**

Was passt? Markieren Sie.

Sie/Er hat

	Gesicht	Haut	Teint	Augen	Haare
wunderschöne				X	X
ein hübsches					
dunkle					
einen dunklen					
helle					
lockige					
blaue					
ein breites					
einen blassen					
weiche					

6 **Buchstabensalat**

Bringen Sie die Buchstaben in die richtige Reihenfolge. Finden Sie das jeweilige Gegenteil.

1 iewhc _weich_ _h_   a) hässlich   5 bhhcsü ____ ____ e) schwarz

2 mlhcas ____ ____   b) lang   6 krzu ____ ____ f) hell

3 nlobd ____ ____   c) groß   7 lkcigo ____ ____ g) glatt

4 ukndle ____ ____   d) breit   8 nliek ____ ____ h) hart

7 **Monster Willi**

Wie sieht Willi aus? Ergänzen Sie.

groß ◆ klein ◆ lang ◆ ~~kurz~~ ◆ schmal ◆ glatt ◆ breit ◆ dünn ◆ rund

Monster Willi hat ...

a) _einen kurzen_ ____ Hals.

b) ____ Beine.

c) ____ Kopf.

d) ____ Ohren.

e) ____ Augen.

f) ____ Mund.

g) ____ Nase.

h) ____ Haare.

8 Blind date.

Ergänzen Sie die Endungen, wenn nötig.

```
┌─────────────────────────────────────────────────────────────────────────────┐
│ [ab]  Verdana  ▼  Normal  ▼  │ F  I  U  T │ ▤ ▤ ▤ │ ⋮ ⋮ ⋮ ⋮ │ A ▼ ◈ ▼ │ ─ │
├─────────────────────────────────────────────────────────────────────────────┤
│                                                                               │
│  <Daisy>                                                                      │
│  Jetzt haben wir uns so viel geschrieben und uns nie getroffen.              │
│  Ich bin schon ganz neugierig! Wie siehst du aus?                            │
│  Also, ich bin nicht so groß⁄___ und schlank_____ (1). Habe lang_____ blond_____ Haare und lang_____ │
│  (2) Beine. Ein hübsch_____ Gesicht und eine schmal_____ (3) Nase. Und man sagt, ich habe schön_____ │
│  (4) Augen. Trage meist sportlich_____ (5) Kleidung.                         │
│                                                                               │
│  <Donald>                                                                     │
│  Ich bin leider nicht James Bond. Ich bin ziemlich groß_____ und habe breit_____ (6) Schultern. │
│  Aber ich habe groß_____ Ohren und einen breit_____ (7) Mund. Und noch eine groß_____ (8) │
│  Nase. Und einen klein_____ (9) Bauch. Aber sonst bin ich normal_____ (10) ☺ Willst du mich │
│  noch sehen?                                                                  │
│                                                                               │
│  <Daisy>                                                                      │
│  Klar, warum nicht? Du bist lustig_____ und hast einen gut_____ (11) Humor.  │
│                                                                               │
│  <Donald>                                                                     │
│  Sehr schön! Morgen im Restaurant „La rosa" in der Klenzestraße?             │
│  Ich bringe eine rot_____ (12) Rose mit.                                     │
│                                                                               │
│  <Daisy>                                                                      │
│  Ich freu mich!                                                              │
│                                                                               │
└─────────────────────────────────────────────────────────────────────────────┘
```

9 Unbestimmter Artikel

Ergänzen Sie die Endungen im Akkusativ oder Nominativ.

a) Wo ist Sabine? – Sie hat stark*e*_____ Kopfschmerzen.

b) Wie findest du den Roman? – Furchtbar! Das ist vielleicht ein langweilig_____ Buch!

c) Wie lange kennst du Paul schon? – Seit Jahren. Er ist ein wirklich gut_____ Freund von mir.

d) Wie war der Urlaub? – Toll! Wir haben wunderschön_____ Fotos gemacht! Die zeige ich dir!

e) Was wünschen Sie? – Ich suche einen billig_____ Flug nach Portugal.

f) Nimm doch die Uhr! – So eine teur_____ Uhr kaufe ich nicht!

g) Ist Daniel heute nicht da? – Nein, der hat eine stark_____ Erkältung.

h) Was? Das ist Clarissa? – Ja, sie hat jetzt lang_____ Haare.

i) Was nehmen Sie? – Eine heiß_____ Schokolade, bitte.

j) Nimm doch diese Tasche! – Ja, du hast recht. Das ist wirklich ein schön_____ Rot!

k) Kommst du mit? Ich möchte meinen neu_____ Wagen ausprobieren.

10 Bestimmter Artikel

Ergänzen Sie die Endungen im Akkusativ oder Nominativ.

a) Das Grün gefällt mir nicht! Ich nehme lieber das gelb*e*_____ T-Shirt.

b) Wie gefällt dir denn der rot_____ Pullover? – Ich finde den braun_____ schöner.

c) Und wie findest du Portugal? – Toll! Lissabon ist für mich die schönst_____ Stadt der Welt.

d) Wie war's in Frankreich? – Schön! Wir planen schon den nächst_____ Urlaub.

e) Hast du die neu_____ Sonnenbrille eingepackt? – Ja, klar.

f) Wann fährst du? – Ich nehme den nächst_____ Bus.

g) Wer ist Susi? – Das ist doch die Blond_____ aus Kurs B.

h) Magst du gerne spanisches Essen? – Ja, aber die italienisch_____ Küche mag ich am liebsten.

i) Ich habe gestern den neu_____ Freund von Sarah kennengelernt. – Und? Ist er nett?

j) Weißt du, wer Pedro ist? – Ich glaube, der neu_____ Schüler aus Spanien.

11 Kleidung

Suchen Sie Kleidungsstücke. Notieren Sie die Kleidungsstücke mit Artikel und Plural.

a) K A R W E T A T   *die Krawatte / -n*

b) T U H

c) Z U A G N

d) M K S O Ü T

e) E S H O

f) C S H H U

g) K O S C E

h) V L L O P U E R

i) D I E L K

j) M H D E

k) L U S B E

l) O K K S A

12 Wie gefällt dir ...?

Ergänzen Sie die Endungen im Nominativ.

Wie gefällt dir ...

a) meine neu_e_____ Jeans?

b) sein neu_____ Anzug?

c) ihre neu_____ Bluse?

d) mein neu_____ Kleid?

e) die kurz_____ Hose?

f) die blau_____ Krawatte?

g) das weiß_____ T-Shirt?

h) der schwarz_____ Hut?

i) der braun_____ Pullover?

13 Koffer packen

Ergänzen Sie die Endungen im Akkusativ.

Claudia fährt in Urlaub. Was nimmt sie alles mit?

a) Ein dünn_es_____ Sommerkleid. (f)

b) D_____ schick_____ Abendkleid. (n)

c) D_____ groß_____ Sonnenhut. (m)

d) D_____ neu_____ Badeanzug. (m)

e) Ein_____ kurz_____ Hose. (f)

f) Dünn_____ T-Shirts. (Pl.)

g) D_____ neu_____ Fotoapparat. (m)

h) Bequem_____ Schuhe (Pl.)

i) Ein_____ praktisch_____ Regenjacke. (f)

j) Gut_____ Sonnencreme. (f)

k) D_____ teur_____ Sonnenbrille. (f)

l) Ein_____ lustig_____ Buch. (n)

m) Ein_____ bunt_____ Ball. (m)

4 **Dialog: Was soll ich bloß mitnehmen?**

Ergänzen Sie die Endungen.

● Was soll ich bloß mitnehmen?

● Also, vier Jeans, ein*e*___ blau*e*___, zwei weiß_____ und
  ein_____ schwarz_____ (1).
  Ach ja und dann noch d_____ schick_____ (2) Hose.
  Meinst du, das reicht?

■ Was hast du denn schon eingepackt?

● Na ja, da nehme ich noch mein_____ grün_____
  Minirock mit und andere dünn_____ (4) Röcke.
  Aber welches T-Shirt?

■ Fünf lang_____ (3) Hosen! Wir fahren ans
  Meer. Es ist sicher warm.

● O.k. d_____ weiß_____ und ein_____ gelb_____ und dann
  noch d_____ dünn_____ (5) Bluse.
  Die habe ich beinahe vergessen. Die nehme ich
  natürlich auch noch mit.
  Und was meinst du?
  D_____ roten oder d_____ (6) weißen Bikini?

■ Ach, Carla, du hast doch tausend T-Shirts!

■ Ich finde beide schön.

● Was für einen Pullover?
  Ein_____ dick_____ (7) oder lieber einen Sommerpulli?
  Wer weiß, wie das Wetter wird. Ich nehme mal lieber
  beide mit.
  Und für abends brauche ich noch ein paar schick_____
  (8) Kleider! Und d_____ schön_____ neu_____ (9)
  Handtuch für den Strand. Dann mein_____ braun_____
  (10) Sonnenbrille.

● Ich glaube d_____ groß_____ schwarz_____ und noch
  ein_____ klein_____ (11) Tasche. Oder lieber d_____
  groß_____ (12) Reisetasche?
  Also, aber wenn ich mir das so ansehe. Ich habe nicht
  d_____ richtig_____ (13) Kleider. Kein_____ hübsch_____
  (14) Sonnenhut. Außerdem brauche ich noch ein_____
  schön_____ (15) Sommerkleid. Und außerdem Schuhe!
  Oh, mein Gott, ich habe die Schuhe vergessen. Ich habe
  kein_____ schick_____ (16) Schuhe!
  Ich glaube, ich muss noch einkaufen gehen.

■ Du, Carla, nur eine Frage. Welchen Koffer
  nimmst du mit?

■ Das glaube ich auch. Vergiss nicht!
  Morgen um zehn Uhr am Flughafen!

15 Welch...?

Ergänzen Sie die Endungen.

- ● Wie siehst du denn aus?
- ▲ Warum?
- ● Na, die Hose!
- ▲ Welch_e___ Hose soll ich dann nehmen?
- ● Nimm die schwarze hier.
- ▲ Und welch_____ (a) Hemd passt dazu?
- ● Sicher nicht dieses! Das weiße hier.
- ▲ Prima. Dann kann ich meine rote Jacke dazu anziehen.
- ● Welch_____ (b) Jacke meinst du?
- ▲ Da, die von Tante Klara.

- ● Um Gottes Willen. Nicht die. Und welch_____ (c) Schuhe möchtest du anziehen?
- ▲ Na, die hier! Ich brauche nun wirklich keine neuen Schuhe!

16 *Was für ein... oder welch...?*

Ergänzen Sie.

a) ___Welchen___ Bikini soll ich bloß kaufen? – Nimm doch d_____ weiß_____. Der ist schick.

b) Und _____ einen Pullover nehme ich mit? – Nimm einen dicken. Vielleicht wird's ja kalt.

c) _____ Saft wollen Sie? – Einen Orangensaft.

d) _____ Wohnung nehmen Sie? – Ich nehme die Zweizimmerwohnung.

e) _____ Kuchen können Sie mir empfehlen? – Den Zitronenkuchen. Der ist wirklich lecker.

f) _____ Buch meinst du? – Das von Hermann Hesse.

g) _____ Zeitung möchtest du? – Na, die dort. Die da auf dem Tisch liegt.

h) _____ Videokamera kaufst du? – Eine von Sony.

i) _____ Hemd nimmst du? – Das grüne. Das finde ich schöner.

17 Verben

Ergänzen Sie die Verben in der richtigen Form.

passen ◆ schmecken ◆ gefallen ◆ stehen ◆ ~~finden~~

a) Wie _findet_____ ihr meine neue Sonnenbrille?

b) Wie _____ dir der Kuchen?

c) Der Pullover _____ mir nicht. Er ist viel zu groß.

d) Die Wohnung _____ mir gut.

e) Deine neue Frisur sieht toll aus. Die _____ dir wirklich gut!

18 Dativ oder Akkusativ?

Ergänzen Sie *mich – mir – dich – dir.*

a) Die Hose steht d_ir___ wirklich gut! – Ja, aber sie passt m_____ nicht!

b) Gefällt d_____ mein neuer Rock? – Ja, der sieht super aus.

c) Wie findest du m_____ in dem neuen Kleid? – Einfach toll!

d) Schmeckt d_____ der Wein? – Ja, wirklich gut!

e) Rufst du m_____ morgen an? – Ja, wann denn?

f) Gehört d_____ der Kuli? – Nein, das ist Peters Stift.

g) Also gut, ich hole d_____ um 7.00 Uhr ab! – Ja, prima.

h) Kannst du m_____ bitte helfen? – Aber natürlich!

9 **Beim Einkaufen**
Ergänzen Sie den Dialog.

… so etwas auch in einer anderen Farbe? ◆ probieren Sie mal! ◆ … steht Ihnen … ◆
Es ist mir zu klein ◆ … das nehme ich ◆ Wie viel kostet es? ◆ … wirkt sehr elegant ◆
Ich habe Größe … ◆ Das gefällt mir … ◆ bitte ◆ für einen besonderen Anlass ◆ ~~ich hätte gern~~ …

■ *Ich hätte gern* _____ (1) ein Kleid.

■ Nein, _____
_____ (2), für die Hochzeit
meiner Schwester.

■ Das ist eigentlich egal.
Zeigen Sie mir einfach ein paar.
_____ (3)
38 oder 40.

■ _____ (4)
nicht so gut. Zu sportlich, und die Farbe ist zu
unauffällig.
Haben Sie _____
_____ (5)?

■ Ja, das gefällt mir.

■ Oh, das passt mir nicht.
_____ (7).

■ Moment _____ (8). Ja, das passt.

● Für jeden Tag?

● Und an welche Farbe haben Sie gedacht?

● Wie gefällt Ihnen dieses?

● Ja, hier ist ein elegantes, rotes Kleid in Seide.

● Na, dann _____
_____ (6)!

● Wir haben es auch eine Nummer größer.

● Das _____ (9)
ausgezeichnet.
Es ist wirklich ganz schick und nicht zu
konservativ. Es _____
_____ (10).

■ Ja, das stimmt, _____ (11)
Das ist wirklich perfekt.
_____ (12)?

■ Oh … . Tja … . Na ja, meine Schwester heiratet
nur ein Mal!

● Es ist nicht so teuer. Nur 399 Euro.

20 Tabelle

Ergänzen Sie die Tabelle.

	maskulin	feminin	neutrum	Plural
Nominativ	*der neue Freund*			
Akkusativ				
Dativ	*mit dem neuen Freund*		*in dem neuen Kleid*	*den neuen Freunden*

	maskulin	feminin	neutrum	Plural
Nominativ		*eine neue Freundin*		*neue Freunde*
Akkusativ			*ein neues Kleid*	
Dativ	*mit einem neuen Freund*			

21 Adjektiv-Deklination im Dativ

Ergänzen Sie die Endungen.

a) Hast du etwas von Klaus gehört? – Er ist nach Köln umgezogen und wohnt jetzt in ein*er* klein*en* Zweizimmerwohnung.

b) Mit d_____ schwer_____ Gepäck kannst du doch nicht allein zum Bahnhof!

c) Was machst du im Sommer? – Ich fliege zu mein_____ japanisch_____ Freund nach Tokyo.

d) Kommt Carla mit? – Nein, sie geht mit ihr_____ neu_____ Freund ins Kino.

e) Was passt denn zu d_____ schwarz_____ Rock? – Die weiße Bluse.

f) Und wie war's? – Furchtbar! Ich war auf ein_____ total langweilig_____ Party.

g) Also, mit d_____ hässlich_____ Kleid kannst du doch nicht zu Omas Geburtstag!

h) Die Bluse passt überhaupt nicht zu d_____ braun_____ Hose.

i) In welchem Restaurant warst du? – In d_____ neu_____ gleich um die Ecke.

j) Mit d_____ neu_____ Freundin von Claudia kann ich überhaupt nicht reden. Die ist vielleicht langweilig.

k) Wie findest du Susi mit d_____ neu_____ Frisur? – Ich finde sie sieht gut aus?

l) Schau mal! Die mit d_____ kurz_____ Rock da drüben! Die sieht vielleicht blöd aus!

m) Du kannst doch nicht mit d_____ alt_____ Fahrrad fahren. Das ist gefährlich!

22 Der „typische" Tourist

Ergänzen Sie die Endungen im Akkusativ, wenn nötig.

Er hat hässlich*e* Sandalen an und trägt ein*–* bunt_____ (1) Hawaihemd und ein_____ (2) kurz_____ (3) Hose. Auf dem Kopf hat er ein_____ (4) altmodisch_____ (5) Hut und um den Hals ein_____ (6) Videokamera.

Meistens fährt er in ein warm_____ (7) Land. Dort liegt er d_____ (8) ganz_____ (9) Tag in der Sonne und macht unnötig_____ (10) Fotos.

Manchmal rennt er auch von einem Museum ins ander_____. (11) Er kauft unzählige interessant_____ (12) Postkarten und schreibt langweilig_____ (13) Sätze darauf.

Natürlich kauft er auch ein_____ (14) schön_____ (15) Souvenir aus dem Land.

Er lernt ander_____ (16) nett_____ (17) Touristen kennen.

Und wenn er wieder zu Hause ist, erzählt er tagelang von dem aufregenden Urlaub.

3   Die verrückte Baaderstraße.

Wer wohnt in der Baaderstraße? Ergänzen Sie die Endungen, wo nötig.

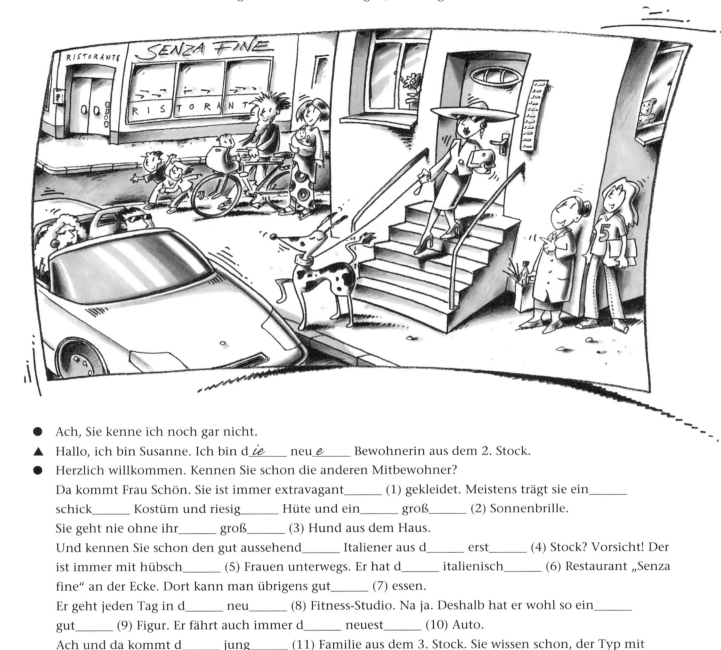

● Ach, Sie kenne ich noch gar nicht.

▲ Hallo, ich bin Susanne. Ich bin d_ie___ neu_e___ Bewohnerin aus dem 2. Stock.

● Herzlich willkommen. Kennen Sie schon die anderen Mitbewohner?

Da kommt Frau Schön. Sie ist immer extravagant_____ (1) gekleidet. Meistens trägt sie ein_____
schick_____ Kostüm und riesig_____ Hüte und ein_____ groß_____ (2) Sonnenbrille.
Sie geht nie ohne ihr_____ groß_____ (3) Hund aus dem Haus.
Und kennen Sie schon den gut aussehend_____ Italiener aus d_____ erst_____ (4) Stock? Vorsicht! Der
ist immer mit hübsch_____ (5) Frauen unterwegs. Er hat d_____ italienisch_____ (6) Restaurant „Senza
fine" an der Ecke. Dort kann man übrigens gut_____ (7) essen.
Er geht jeden Tag in d_____ neu_____ (8) Fitness-Studio. Na ja. Deshalb hat er wohl so ein_____
gut_____ (9) Figur. Er fährt auch immer d_____ neuest_____ (10) Auto.
Ach und da kommt d_____ jung_____ (11) Familie aus dem 3. Stock. Sie wissen schon, der Typ mit
d_____ komisch_____ Frisur und d_____ lang_____ (12) Bart. Seine Frau trägt immer so lustig_____ (13)
Röcke. Die Kinder sind eigentlich ganz süß_____ (14).

▲ Tja, Frau Müller. Das sind ja alles interessant_____ (15) Leute. Übrigens, ich mache nächste Woche eine
Party. Sie sind herzlich eingeladen. Natürlich lade ich alle aus dem Haus ein. Ich bin sicher, das wird
ein_____ lustig_____ (16) Party.

24 Redewendungen: Farben

Ergänzen Sie die Farbe.

blau ◆ grau ◆ grün ◆ rot ◆ schwarz

a) Ich habe mein Ticket vergessen. Ich bin die ganze Zeit _____*schwarz*_____ gefahren.

b) Ich war so böse auf ihn. Ich habe mich _____ geärgert.

c) Das ist doch egal. Das ist dasselbe in _____.

d) Er hat wirklich Glück gehabt! Er ist noch einmal mit einem _____en Auge davongekommen.

e) Sie war heute nicht in der Schule, und krank ist sie auch nicht. Ich glaube, sie hat _____ gemacht.

f) Du bist immer so pessimistisch! Sieh doch nicht alles so _____.

g) Ich habe mich so gefreut. Das hat Farbe in meinen _____en Alltag gebracht.

h) Ich bin ganz _____ geworden, weil alle Leute im Restaurant mich angesehen haben.

i) Er versteht sich nicht gut mit seinen Kollegen. Sie sind ihm nicht _____.

25 Nomen

Ergänzen Sie.

a) riesig: _____*der Riese*_____

b) wöchentlich: _____

c) jährlich: _____

d) fraglich: _____

e) ängstlich: _____

f) herbstlich: _____

g) regnerisch: _____

26 -ig, -lich oder -isch?

Welche Endung macht das Nomen zu einem Adjektiv? Markieren Sie und schreiben Sie das Adjektiv.

	-ig	-lich	-isch	Adjektiv
a) Vorsicht	X			*vorsichtig*
b) Typ				
c) Wirtschaft				
d) Telefon				
e) Monat				
f) Berg				
g) Salz				
h) Sommer				

Gewohnte Verhältnisse?

Übungen zu Teil A

1 Wo steht *-haus?*

Ergänzen Sie *-haus*, wenn nötig. Ergänzen Sie auch Artikel und Pluralform.

Artikel   Plural

a) *das* Hoch*haus,* *die Hochhäuser*
b) *der* Bauernhof, — *die Bauernhöfe*
c) _____ Reihen_____, _____
d) _____ Schloss_____, _____
e) _____ Einfamilien_____, _____
f) _____ Wohnheim_____, _____

Artikel   Plural

g) _____ Villa_____, _____
h) _____ Garten_____, _____
i) _____ Altbau_____, _____
j) _____ Fachwerk_____, _____
k) _____ Öko_____, _____

2 Wortsalat rund ums Haus.

Schreiben Sie.

HAUS
- AZRT — *Arzt*
- MEIESTR — _____
- ONRDUNG — _____
- SCHUEH — _____
- TEIR — _____
- TRÜ — _____

- ELNTER — _____
- FEREIN — _____
- KRAKENN — _____
- MEBLÖ — _____
- TRUMA — _____
- TPPEREN — _____
HAUS

3 Was passt wo?

Ergänzen Sie die Anzeigen und Hinweise am schwarzen Brett mit den Wörtern aus Übung 2.

a)
Schönes *Ferienhaus* _____ in der
Toskana im Juli und August noch frei!
Tel.: 06 95/34 96 83

b)
Wir räumen unser Lager!
Günstige _____ aus echtem
Lammfell für nur 10 Euro! Greifen Sie zu!
Schuhhaus Samt

c)
Wir bauen für Sie Ihr _____!
Schauen Sie einfach vorbei und erfüllen Sie sich den
Traum der eigenen vier Wände.
Fertigbau Schnell

d)
Mitteilung * Mitteilung **** Mitteilung**

Liebe Bewohner des Anwesens Müllerstr. 9A!

– Bitte schließen Sie ab 22.00 Uhr die
_____ _____ ab.
Es ist in Ihrem Interesse!

– _____ sind nicht
erlaubt! Das steht auch in der
_____. Es beschweren
sich immer wieder Mieter wegen zu lauten
Bellens.

– Bitte halten Sie das
_____ sauber. Denken
Sie an Ihren wöchentlichen Putzdienst.

Ihr _____

Alfred Klagen

e)
Sind Sie schon gegen Grippe geimpft? Fragen Sie
Ihren _____! Besonders ältere
Personen sind gefährdet!

4 Was ist das Gegenteil?

Markieren Sie.

1	zentral	*d*		a)	ruhig		
2	laut			b)	auf dem Land		
Ich wohne ... 3	billig		Wir wohnen ...	c)	teuer		
4	alleine			d)	außerhalb		
5	in der Stadt			e)	zu zweit		

5 Konjugation

Ergänzen Sie die Endungen von *würden*.

ich	*e* _____
du	_____
sie / er / man	_____
wir	**würd** _____ gern in einem Schloss wohnen.
ihr	_____
sie	_____
Sie	_____

6 Wünsche

Schreiben Sie Sätze im Konjunktiv II.

a) Würden Sie gern auf dem Land wohnen?
   Ich würde lieber in der Stadt wohnen, weil ich gern ausgehe. _____
   lieber in der Stadt wohnen – gern ausgehen

b) Würdet ihr gern mit anderen Leuten zusammenwohnen?
   Wir _____
   lieber alleine wohnen – unsere Ruhe haben wollen

   Wir _____
   gern in einem Wohnheim – dort immer was los sein

c) Wo würdet ihr gerne wohnen?
   Wir _____
   im Grünen wohnen – so viele Haustiere haben

d) Wo würdest du lieber wohnen? In der Stadt oder auf dem Land?
   Ich _____
   lieber auf dem Land wohnen – die Natur lieben

e) Wo würde dein Partner am liebsten wohnen?
   Er _____
   am liebsten allein wohnen – den ganzen Tag Musik hören wollen

Übungen zu Teil B

7 Wortschatz

Ergänzen Sie die Begriffe. Ergänzen Sie auch Artikel und die Pluralformen.

Miete ◆ Quadratmeter ◆ Nebenkosten ◆ Neubau ◆ Mieter ◆ Einbauküche ◆ Tiefgarage ◆
Makler ◆ ~~Vermieter~~ ◆ Kaution

a) Person, die ihre Wohnung gegen Geld einer anderen Person überlässt *der Vermieter, die Vermieter*

b) Person, die für andere Leute Wohnungen und Häuser vermietet _____

c) Maß für die Wohnfläche _____

d) Geld, das man für die Heizung und das Wasser zusätzlich zur Miete
bezahlen muss _____

e) Person, die Geld dafür bezahlt, um in einer Wohnung wohnen
zu können _____

f) Geld, das man zur Sicherheit an den Vermieter zahlen muss _____

g) Küche mit genau passenden Teilen _____

h) Gegenteil von Altbau _____

i) Geld, das man jeden Monat bezahlt, um in einer Wohnung wohnen
zu können. _____

j) Garage unter der Erde _____

8 Wiederholung: Komparativ und Superlativ

Schreiben Sie die Komparative und Superlative.

		Komparativ	Superlativ
a)	groß	*größer*	*am größten*
b)	klein		
c)	günstig		
d)	teuer		
e)	luxuriös		
f)	häufig		
g)	zentral		
h)	viel		
i)	gern		
j)	hoch		
k)	gut		
l)	schnell		
m)	wenig		
n)	dunkel		
o)	alt		
p)	früh		
q)	lang		
r)	fleißig		

9 Bauwerke im Vergleich

hoch oder *höher, als* oder *wie?* Ergänzen Sie.

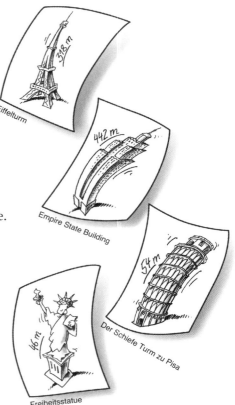

Eiffelturm

Empire State Building

Der Schiefe Turm zu Pisa

Freiheitsstatue

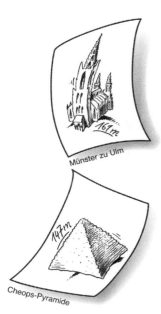

Münster zu Ulm

Cheops-Pyramide

a) Das Empire State Building ist mehr als 100 Meter __*höher*__ __*als*__ der Eiffelturm.

b) Die Cheops-Pyramide in Ägypten ist fast genauso _____ _____ das Münster zu Ulm.

c) Das Empire State Building ist fast 400 m _____ _____ die Freiheitsstatue.

d) Die Freiheitsstatue ist fast genauso _____ _____ der Schiefe Turm in Pisa.

e) Der Eiffelturm ist mehr als 100 m _____ _____ das Münster zu Ulm.

f) Die Cheops-Pyramide ist 100 m _____ _____ der Schiefe Turm in Pisa.

10 Kleine Auswahl deutscher, österreichischer und Schweizer Superlative

Ergänzen Sie die Adjektivformen im Superlativ.

a) Das __*längste*__ (lang) Alphorn der Welt stammt natürlich aus der Schweiz und ist 37 m lang.

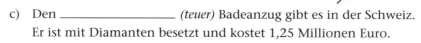

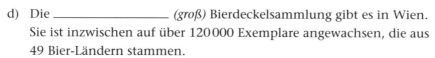

b) Der _____ (fleißig) Autowäscher der Welt kommt aus Österreich. In 100 Stunden hat er 461 Autos gewaschen.

c) Den _____ (teuer) Badeanzug gibt es in der Schweiz. Er ist mit Diamanten besetzt und kostet 1,25 Millionen Euro.

d) Die _____ (groß) Bierdeckelsammlung gibt es in Wien. Sie ist inzwischen auf über 120 000 Exemplare angewachsen, die aus 49 Bier-Ländern stammen.

e) Die _____ (viel) Briefmarken auf einem Poststück waren auf einem Brief, der in Österreich angekommen ist. Er war mit 4,5 Meter Briefmarken beklebt.

f) Die _____ (klein) Brille der Welt gibt es in München. Sie ist 12,6 Millimeter breit und 5,4 Millimeter hoch.

g) Die _____ (schnell) Köchin der Welt kommt aus Deutschland. Sie hat in 14 Minuten und 10 Sekunden ein komplettes Menü gekocht.

h) Die _____ (häufig) Vornamen in Deutschland sind „Hans" und „Joseph" bei den Männern und „Marie" oder „Maria" bei den Frauen.

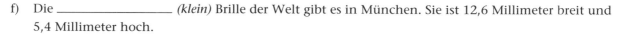

1 Wohnungsdialoge

Bringen Sie die Dialoge in eine sinnvolle Reihenfolge.

Dialog 1

> **Westend beste Lage, luxu-riöse 2-ZW**, Marmor, Kamin, Südlage, 120 m², teil-möbl., lux. EBK, Marmorbad, frei ab 1.5., 1500 Euro + U/KT.

☐ Noch eine letzte Frage: Hat die Wohnung eine Wohnküche?

☐ Ja, gern. Gibt es denn einen Besichtigungstermin für die Wohnung?

☐ *1* Guten Tag, mein Name ist Kaiser. Ich rufe wegen der Zweizimmer-wohnung im Westend an. Ist die noch frei?

☐ Vielen Dank für die Auskunft. Bis Donnerstag also.

☐ Ja, die ist noch frei. Möchten Sie sie besichtigen?

☐ Ja, diesen Donnerstag, um 11 Uhr in der Pestalozzistraße 20.

☐ Ja, eine sehr große, dort haben bequem acht Leute Platz.

Dialog 2

> **Frankfurt-Zentrum, 2-ZKB**, ca. 70 m², ab 1.4., 400 Euro + NK.

☐ Ach, schade, aber in solch einem Haus hätten wir uns dann auch sicherlich nicht wohl gefühlt.

☐ Ich bin alleinerziehend und habe eine dreijährige Tochter. Aber wir haben keine Haustiere.

☐ *1* Guten Tag. Mein Name ist Maier. Ich interessiere mich für die 2-Zimmer-Wohnung im Zentrum. Ist die noch frei? Können wir uns die mal ansehen?

☐ Haben Sie Kinder oder Haustiere?

☐ Das tut mir sehr leid. Aber die Wohnung ist nur an eine allein stehende Person zu vermieten.

2 Wiederholung: Fragen

Schreiben Sie die Fragen.

> **Nachmieter ges.: 4-ZW, AB**, Bockenheim, 100 m², EBK, teilw. Parkett, kl. Blk., 3. OG, 900 Euro + NK, Feiner Imm.

1 _Wie ist die Adresse_____? **d**
   Adresse – wie – die – ist

2 _____?
   sind – von – was – Beruf – Sie

3 _____?
   Kinder – Sie – haben

4 _____?
   ist – hoch – die Miete – wie

5 _____?
   haben – Haustiere – Sie

6 _____
   _____?
   die Nebenkosten – sind – wie – hoch

7 _____
   _____?
   wie – hat – Zimmer – viele – die Wohnung

8 _____?
   verheiratet – sind – Sie

9 _____?
   spielen – ein Musikinstrument – Sie

10 _____?
   frei – ist – ab – wann – die Wohnung

3 Ordnen Sie nun den Fragen die passenden Antworten zu.

a) 900 Euro im Monat.

b) 150 Euro pauschal.

c) 4 Zimmer, Bad und Einbauküche.

d) ~~Obernhainerstr. 27.~~

e) Ab sofort.

f) Lehrer.

g) Ja, eine Tochter und einen Sohn.

h) Ja, bin ich.

i) Ja, eine Katze und einen Hund.

j) Ja, Klavier.

14 Ein Brief

Bringen Sie den Text in eine sinnvolle Reihenfolge.

Paul und Anna Allesgut
Parkstr. 19
69034 Frankfurt

Westend, Exklusiver Neubau-Erstbezug z. 1.5., 4-Zi-Whg, 159 m², Parkett, Gäste-WC, o. EBK, 2300 Euro + Uml. + Kt., König Immobilien

Frankfurter Rundschau
Kleinanzeigen

Frankfurt am Main

Ihre Anzeige in der Frankfurter Rundschau
ZF 574638

Sehr geehrte Damen und Herren,

Zum Schluss hätten wir gerne noch nähere Informationen zur Wohnung. Ist die ganze Wohnung mit Parkett ausgestattet? Wie hoch sind die Umlagen und Nebenkosten? Gibt es auch einen Garten? Ist es möglich, Haustiere (zwei Katzen, absolut stubenrein!) zu halten?

Wir, d.h. vor allem meine Frau, kennen also diesen Stadtteil von Frankfurt ganz gut und könnten uns sehr gut vorstellen dort zu wohnen.

1 mit großem Interesse haben wir Ihre Anzeige in der Frankfurter Rundschau vom 24. März gelesen.

Privat wird sich unsere Situation ab Juli verändern. Wir erwarten unser zweites Kind. Deshalb suchen wir auch eine größere Wohnung. Unser Sohn ist bereits drei Jahre und geht in einen Kindergarten in der Nähe des Gymnasiums, wo meine Frau arbeitet.

Meine Frau und ich wohnen und arbeiten seit ca. zwei Jahren in Frankfurt. Ich bin als Ingenieur im gehobenen Management angestellt und meine Frau ist verbeamtete Lehrerin an einem Gymnasium im Westend.

Wir hoffen auf eine baldige Antwort und verbleiben
mit freundlichen Grüßen

Paul und Anna Allesgut

Übungen zu Teil D

5 Was ist das Gegenteil?

Markieren Sie.

1 leer *e*
2 konservativ
3 kühl
4 luxuriös
5 stilvoll
6 chaotisch
7 hell

a) ordentlich
b) dunkel
c) freundlich
d) stillos
e) voll
f) einfach
g) modern

6 Wo macht man was?

Ergänzen Sie die passenden Begriffe.

a) Wo schlafen die Kinder? _Im Kinderzimmer._

b) Wo wäscht man sich? _____

c) Wo isst man? _____

d) Wo schlafen die Erwachsenen? _____

e) Wo sieht man fern? _____

f) Wo kocht man? _____

g) Wo steht das Auto? _____

h) Wo pflanzt man Blumen? _____

7 Die chinesische Vase aus dem 15. Jahrhundert

Ergänzen Sie die Präpositionen und die Artikel.

a) Stellen Sie sie am besten hier _in den_____ *(in)* Flur.

b) Ja, hier _____ *(auf)* Boden _____ *(neben)* Garderobe.

c) Oder nein, vielleicht doch besser _____ *(in)* Wohnzimmer.

d) Aber wohin? Vielleicht _____ *(in)* Schrankwand? Nein.

e) Oder _____ *(neben)* Stehlampe? Nein.

f) _____ *(Zwischen)* beiden Kerzenständer? Nein.

g) _____ *(Unter)*
   Kronleuchter? Nein.

h) Vielleicht doch lieber

   _____

   (in) Esszimmer.

i) _____

   (Vor) große Fenster? Nein.

j) _____ *(Auf)* Esstisch.

   Ach, wissen Sie was?

   Stellen Sie sie einfach irgendwo hin.

18 **Die Geschichte von der Frau, die immer an etwas anderes gedacht hat**

Ergänzen Sie die Artikel.

Einmal wollte eine Frau Wäsche waschen und Kartoffeln kochen und die Küche putzen. Sie hat aber immer an etwas anderes gedacht, und dabei hat sie den Eimer mit _dem_ (1) Putzwasser auf _____ (2) Herd gestellt, und die Kartoffeln hat sie in _____ (3) Waschmaschine geworfen, und das Waschpulver hat sie auf _____ (4) Boden geschüttet. Dann hat sie gemerkt, dass alles falsch war. Sie hat schnell den Eimer _____ *(von)* (5) Herd genommen und die Kartoffeln aus _____ (6) Waschmaschine geholt und das Waschpulver aufgefegt. Jetzt wollte sie alles richtig machen. Aber sie hat wieder an etwas anderes gedacht! Sie hat das Putzwasser in _____ (7) Waschmaschine geschüttet, und das Waschpulver hat sie in _____ (8) Kochtopf getan, und die Kartoffeln hat sie in _____ (9) Putzeimer geworfen. Als sie anfangen wollte zu putzen, sind überall die Kartoffeln umhergekollert, und als die Frau gerade die Kartoffeln wieder aufsammeln wollte, ist das Seifenwasser _____ *(in)* (10) Kochtopf übergekocht, und die ganze Küche war voll Waschbrühe. Die Frau hat gelacht und gerufen: „Jetzt ist die Küche wenigstens sauber!" Und dann hat sie wirklich alles richtig gemacht.

19 **Mit oder ohne *zu*?**

Ergänzen Sie.

a) Musst du dir jeden Morgen Techno-Musik an_____hören?

b) Hättest du morgen Lust, mit mir ins Kino _____zu_____ gehen?

c) Sollen wir morgen gemeinsam ins Kino _____ gehen?

d) Ich habe angefangen, jeden Morgen eine Stunde _____ joggen.

e) Er versucht nun, etwas weniger _____ arbeiten und mehr Zeit mit der Familie _____ verbringen.

f) Gehen wir morgen gemeinsam _____ schwimmen?

g) Ich habe aufgehört, mich über ihn auf_____regen.

h) Möchtest du mit mir spazieren _____ gehen?

i) Es ist unmöglich, jeden Tag gut gelaunt _____ sein.

j) Er scheint sehr verärgert _____ sein.

k) Dürfen wir heute etwas länger auf_____bleiben? Morgen ist doch Sonntag.

l) Ich hoffe, ihn morgen in der Schule _____ treffen.

m) Es ist noch nicht spät. Lass uns doch noch etwas _____ trinken.

n) Versprichst du mir, morgen pünktlich _____ kommen?

o) Hörst du die Vögel _____ singen? Der Frühling kommt.

0 Verständnisvolle Eltern

Ergänzen Sie den Infinitiv mit *zu*.

a) Für unseren Sohn ist es unmöglich, auf eigenen Beinen _zu stehen_. (*stehen*)

b) Es fällt ihm einfach schwer, morgens früh _____. (*aufstehen*)

c) Es gelingt ihm nicht, regelmäßig zur Arbeit _____. (*gehen*)

d) Er vergisst immer, uns täglich _____. (*anrufen oder besuchen*)

e) Wir haben ihn gebeten, seine Telefonrechnungen doch selbst _____. (*bezahlen*)

f) Selbstverständlich sind wir bereit, seine Wäsche _____. (*waschen*)

g) Er verspricht uns nach jedem Besuch, seine Wohnung _____. (*aufräumen*)

h) Er versucht, sparsamer _____ (*leben*) und nicht jeden Abend im Restaurant _____. (*essen*)

i) Wir haben ihn gebeten, uns seine Sorgen _____. (*erzählen*)

j) Wir hoffen, dass er lernt, für sich selbst verantwortlich _____. (*sein*)

k) Aber wir haben natürlich nicht das Recht, ihm _____. (*Vorschriften machen*)

1 Auf gute Nachbarschaft!

Bilden Sie die „Infinitiv mit *zu*"-Sätze. Verwenden Sie verschiedene Ausdrücke, um den Infinitivsatz einzuleiten.

Vergessen Sie bitte nicht,
Denken Sie bitte daran,
Vielleicht ist es Ihnen möglich,
Könnten Sie sich vorstellen,
Würden Sie bitte versuchen,

a) den Müll nicht aus dem Fenster werfen ◆ b) die Kellertür abschließen ◆ c) das Licht im Keller ausschalten ◆ d) die Blumen im Hof nicht zerstören ◆ e) die Musik nach Mitternacht leiser stellen ◆ f) die Post nicht verstecken ◆ g) freundlich grüßen ◆ h) keine Wäsche im Treppenhaus aufhängen ◆ i) nicht im Treppenhaus singen ◆ j) das Treppenhaus nicht bemalen ◆ k) nicht aus dem Fenster zu springen, sondern die Haustür benutzen ◆ l) nicht das Treppengeländer hinunter rutschen ◆ m) beim Waschen das Bad nicht unter Wasser setzen

a) _Denken Sie bitte daran, den Müll nicht aus dem Fenster zu werfen._

b) _____

c) _____

d) _____

e) _____

f) _____

g) _____

h) _____

i) _____

j) _____

k) _____

l) _____

m) _____

22 **Geständnis eines WG-Mitbewohners**

Bilden Sie Infinitivsätze mit *zu*.

> Ich gebe zu, dass es nicht einfach ist, mit mir unter einem Dach zu wohnen, aber ich habe vor, mich zu ändern …

a) Ich habe beim Frühstück immer mit vollem Mund geredet. Das gebe ich zu.
   Ich gebe zu, beim Frühstück immer mit vollem Mund geredet zu haben.

b) Ich habe die Zeitung nicht mit anderen geteilt, das war nicht richtig von mir.
   Es war

c) Ich habe immer bei anderen mit gegessen, das war nicht fair von mir.
   Es

d) Ich habe mein schmutziges Geschirr wochenlang nicht gespült, das gebe ich auch zu.
   Ich

e) Ich habe stundenlang telefoniert, das war sehr egoistisch von mir.
   Es

f) Ich habe immer zu laut Musik gehört, das tut mir leid.
   Es

Übungen zu Teil E

23 **weil oder obwohl?**

Ergänzen Sie.

> Ich möchte von zu Hause ausziehen, …

a) _____obwohl_____ ich ein wunderschönes Zimmer bei meinen Eltern zu Hause habe.

b) _____ ich keine lästigen Fragen mehr beantworten möchte.

c) _____ meine Mutter jeden Mittag etwas zum Essen kocht.

d) _____ ich viel Geld sparen würde, wenn ich zu Hause bleiben würde.

e) _____ ich endlich selbstständig und erwachsen werden möchte.

f) _____ ich mit Freunden zusammenziehen möchte.

g) _____ meine Eltern mir keine Vorschriften machen.

4 *deshalb* oder *trotzdem*?

Ergänzen Sie.

a) Ich habe ein wunderschönes Zimmer bei meinen Eltern zu Hause, _trotzdem_ ...

b) Ich möchte keine lästigen Fragen mehr beantworten, _____ ...

c) Meine Mutter kocht jeden Mittag etwas zum Essen, _____ ...

d) Ich würde viel Geld sparen, wenn ich zu Hause bleiben würde, _____ ...

e) Ich möchte endlich selbstständig und erwachsen werden, _____ ...

f) Ich möchte mit Freunden zusammenziehen, _____ ...

g) Meine Eltern machen mir keine Vorschriften, _____ ...

... möchte ich von zu Hause ausziehen.

5 Auf dem Land oder in der Stadt wohnen?

Ergänzen Sie *weil, deshalb, obwohl* oder *trotzdem*.

a) Ich gehe gerne in der Natur spazieren, _deshalb_ lebe ich direkt am Wald.

b) Ich lebe in einem schönen Altbau mitten in der Stadt, _____ ich gern abends spontan zu Fuß ins Kino oder in eine Kneipe gehe.

c) Manchmal nerven mich die Geräusche der Nachbarn, _____ möchte ich nicht aus meiner Stadtwohnung ziehen.

d) Ich fühle mich ganz wohl in der Stadt, _____ ich mich auch nach einen kleinen Garten sehne.

e) Ich wohne lieber außerhalb der Stadt, _____ mir das Leben in der Stadt zu stressig ist.

f) Ich arbeite mitten in der Stadt, _____ genieße ich abends die Ruhe auf dem Land.

g) Alle meine Freunde leben in der Stadt, _____ möchte ich aufs Land ziehen.

h) Wir wohnen wegen der Kinder auf dem Land, _____ wir das Leben in der Stadt viel interessanter finden.

26 **Gute Gründe für einen Umzug?**

Formulieren Sie Sätze mit *weil* und *deshalb* und mit *obwohl* und *trotzdem*.

a) Die Nachbarn sind zu laut.
   Ich möchte umziehen, weil die Nachbarn zu laut sind.
   Die Nachbarn sind zu laut, deshalb möchte ich umziehen.

b) Die Nachbarn grüßen nicht.
   Ich möchte umziehen, _____
   _____

c) Die Wohnung ist super renoviert.
   _____
   _____

d) Das Haus hat keinen Aufzug.
   _____
   _____

e) Haustiere sind nicht erlaubt.
   _____
   _____

f) Das Haus hat einen sehr schönen Innenhof.
   _____
   _____

g) Die Wohnung hat keinen Balkon.
   _____
   _____

27 **Alles Gute …**

Ergänzen Sie die Adjektiv-Nomen.

■ Ich wünsche dir alles *Gute* _____ (gut) zum Geburtstag.

● Vielen Dank.

■ Wünschst du dir etwas _____ (besonders)?

● Ja, eine neue Wohnung.

■ Da habe ich etwas _____ (interessant) in der Zeitung gelesen.

● Was denn?

■ Ein älteres Ehepaar sucht einen netten Untermieter. Das _____ (interessant) daran ist, dass du keine Miete bezahlen musst.

● Das verspricht nichts _____ (gut). Was muss ich denn dafür tun?

■ Ach, da stand: kleinere Hausarbeiten, mit dem Hund spazieren gehen und das _____ (wichtigst-): etwas _____ (schön) für das gemeinsame Abendprogramm bieten.

● Nein, danke. Das ist wohl nicht das _____ (passend) für mich. Da zahle ich lieber mehr Miete.

Erinnerungen

Übungen zu Teil A

1 Kreuzworträtsel

Ergänzen Sie.

senkrecht

1 Zeit, in der man sich auf einen Beruf vor- bereitet

2 Zeit, in der jemand ein Kind ist

4 Der letzte Abschnitt des Lebens

waagrecht

3 Die Verbindung zur Ehe

5 Tätigkeit, zu der man meist eine spezielle Vorbereitung braucht und mit der man sei- nen Lebensunterhalt verdient

6 Eltern und ihr Kind bzw. ihre Kinder oder alle miteinander ver- wandten Personen

7 Institution, die dazu dient, Kindern Wissen zu vermitteln und sie zu erziehen

2 Wortsalat

Bringen Sie die Buchstaben in die richtige Reihenfolge.

a) in eine andere Stadt HIEZEN _ziehen_ / EISERN _____

b) in ferne Länder GIEFLEN _____

c) das Abitur – eine Ausbildung AMECHN _____

d) in die Schule – in den Kindergarten – aufs Gymnasium MOKMEN _____

e) als Lehrer REIBATEN _____

f) ein Kind MEBKOMEN _____

g) die Schule – das Studium – die Lehre – SCHIEBLAßEN _____ / BABERECHN

_____ / FAGANNEN _____

Was passt zusammen?

1	als	*e*	a)	bis 1983
2	mit		b)	der 90er-Jahre
3	drei Jahre		c)	70er-Jahren
4	im Jahre		d)	1988
5	von 1981		e)	Kind
6	zwischen 1976		f)	später
7	in den		g)	und 1980
8	Anfang/Ende		h)	neun Jahren

4 **Wiederholung: Perfekt**

Mit *haben* oder *sein*? Markieren Sie und ergänzen Sie den Beispielsatz.

		haben	sein
a)	sein		X
b)	passieren		
c)	reisen		
d)	studieren		
e)	heiraten		
f)	umziehen		
g)	kommen		
h)	laufen		
i)	abbrechen		
j)	anfangen		
k)	verreisen		
l)	beginnen		
m)	einkaufen		

_Bist_____ du zu Hause _gewesen_____?

Es _____ nichts _____.

Sie _____ um die halbe Welt _____.

Wo _____ ihr _____?

Ich _____ 2001 _____.

Wir _____ vor zwei Wochen _____.

Er _____ gerade _____.

Warum _____ du so schnell _____?

Sie _____ ihre Ausbildung _____.

Der Film _____ schon _____.

Sie _____ für zwei Monate _____.

Wir _____ mit dem Essen schon _____.

_____ du schon _____?

5 **Und wie war das bei dir, Oma?**

Schreiben Sie die Fragen im Perfekt.

a) _Wann bist du zum ersten Mal verliebt gewesen_ _____?
   wann – du – verliebt sein – zum ersten Mal

b) _____?
   Opa – du – kennenlernen – wo

c) _____?
   auch – du – sein – im Kindergarten

d) _____?
   in die Schule – wie lange – gehen – du

e) _____?
   du – eine Ausbildung – machen

f) _____?
   nach dem Studium – was – machen

g) _____?
   im Ausland – leben – du – wie lange

h) _____?
   lernen – du – wie viele Sprachen

Antworten

Schreiben Sie die Antworten auf die Fragen aus Übung 5.

a) _Ich war mit 12 Jahren in meinen Musiklehrer verliebt_ _____.
   (mit 12 Jahren in den Musiklehrer verliebt sein)

b) _____.
   (Opa im Blockflötenkurs kennenlernen)

c) _____.
   (nicht im Kindergarten sein)

d) _____.
   (12 Jahre lang bis zum Abitur zur Schule gehen)

e) _____.
   (Ausbildung zur Krankenschwester machen – dann Medizin studieren)

f) _____.
   (nach Kenia fliegen – dort ein paar Jahre als Ärztin arbeiten)

g) _____.
   (insgesamt 20 Jahre im Ausland verbringen)

h) _____.
   (viele verschiedene Sprachen lernen)

haben oder sein?

Ergänzen Sie die Verben im Perfekt.

a) Was _*hast*_ du letztes Wochenende _*gemacht*_ (machen)? – Da _____ ich
   _____ (umziehen). Das war vielleicht stressig.

b) Was _____ denn _____ (passieren)? Ihr seht ja völlig fertig aus. – Wir _____ die
   ganze Nacht _____ (feiern).

c) Und, wohin _____ ihr nun _____ (verreisen)? – Also, Karl _____ nach Südtirol
   _____ (fahren) und ich _____ nach Mallorca _____ (fliegen). Wir _____
   uns prima _____ (erholen).

d) Na, ihr _____ heute doch Zeugnisse _____ (bekommen), oder? – Nein, wie kommst du
   denn darauf?

e) Was _____ eigentlich aus unserem „ewigen Studenten" _____ (werden)? – Das letzte
   Mal, als ich ihn _____ _____ (treffen), war er frisch verliebt und _____ eine Ausbildung zum Buchhändler _____ (beginnen).

übungen

Übungen zu Teil B

8 **Buchstabensalat**

Suchen Sie neun Präteritumformen. Ergänzen Sie auch das Partizip II und den Infinitiv.

O	M	S	A	H	N	M	I	B	R
E	R	C	D	A	C	H	T	E	B
S	C	H	L	I	E	F	D	G	I
T	U	R	T	Z	B	J	K	A	Y
B	L	I	E	B	S	G	I	N	G
B	X	E	O	T	R	A	F	N	P
L	A	B	E	K	A	M	T	R	K
W	B	R	A	C	H	T	E	U	N

Infinitiv	Präteritum sie/er/es/man	Partizip II
denken	dachte	gedacht

Infinitiv	Präteritum sie/er/es/man	Partizip II

Prinz Bär

Ergänzen Sie die Verben im Präteritum.

Vor vielen vielen Jahren, als die Märchen noch jung _waren_ (sein), _steckte_ (stecken) in jedem Bären ein Prinz und in jeder Prinzessin ein Bär. (a) _____ (wollen) ein Bär nicht mehr als Fischer oder Jäger im Wald leben, _____ (stellen) er sich an die Straße und _____ (warten) (1) auf eine Prinzessin. (b)

Sie _____ _____ (anhalten) (2). Er _____ (steigen) zu ihr in die Kutsche, _____ (küssen) sie und _____ (verwandeln) (3) sich in einen Prinzen.

Gemeinsam _____ (fahren) (4) sie zum Schloss, wo er sich verwöhnen _ließ_ (lassen).

_____ (wollen) eine Prinzessin nicht mehr im Schloss leben und immer lieb und brav sein, _____ (satteln) sie ihr Pferd und _____ (galoppieren) (5) in den Wald.

Sie _____ (küssen) den ersten besten Bären, _____ (verwandeln) sich und _____ (klettern) (6) auf die Bäume.

Oder sie _____ (klauen) (7) Honig.

Oder sie _____ (gehen) (8) zum Schwimmen und Angeln.

So einfach _____ (sein) (9) das Leben. Alle Bären und Prinzen und Prinzessinnen _____ (sein) (10) glücklich und zufrieden.

Eines Tages _____ (kommen) Holzfäller in den Wald und _____ (hacken) (11) die schönsten Kletterbäume der Bären um.

Straßen _____ (werden) (12) gebaut. Es _____ (sein) (13) sehr gefährlich, sie zu überqueren. (c)

Die Bären _____ (müssen) (14) Jagd- und Angelscheine machen. (d) Sie _____ (fühlen) (15) sich nicht mehr wohl. So _____ (sein) es kein Wunder, dass sie alle Prinz oder Prinzessinnen werden _____ (wollen) (16).

_____ (radeln) eine Prinzessin in den Wald, um Pilze zu suchen, _____ (werden) sie andauernd von den Bären belästigt, die einen Kuss haben _____ (wollen) (17). (e) Es _____ (kommen) so weit, dass keine Prinzessin mehr allein ausgehen _____ (dürfen) (18).

Die Bären _____ (ziehen) (19) vor die Burgen und Schlösser.

Sie _____ (brummen) laut und _____ (fordern) (20) Einlass. Doch die Prinzen und Prinzessinnen, von denen es viel zu viele _____ (geben), weil keiner mehr Bär werden _____ (wollen), _____ (schreien) (21) ihnen zu, sie sollten abhauen!

Von Stund an _____ (können) sich kein Bär mehr in einen Prinzen verwandeln und keine Prinzessin mehr in einen Bären – egal, wie lange sie sich _____ (küssen) (22).

(a)

(b)

(c)

(d)

(e)

10 „Ein männlicher Briefmark"

Ergänzen Sie die Präteritumformen.

lieben ◆ wollen ◆ ~~erleben~~ ◆ kleben

EIN MÄNNLICHER BRIEFMARK

EIN MÄNNLICHER BRIEFMARK _erlebte_
WAS SCHÖNES, BEVOR ER _____.
ER WAR VON EINER PRINZESSIN BELECKT.
DA WAR DIE LIEBE IN IHM ERWECKT.

ER _____ SIE WIEDERKÜSSEN,
DA HAT ER VERREISEN MÜSSEN.
SO _____ ER SIE VERGEBENS.
DAS IST DIE TRAGIK DES LEBENS.

Joachim Ringelnatz

übungen

Übungen zu Teil C

11 Wortschatz

Ergänzen Sie die Verben.

sagen ◆ riechen ◆ schmecken ◆ hören ◆ ~~sehen~~

Ich _____ nichts. Ich _____ Ich _____ Ich _____ Ich _____

12 Wortschatz 1

Ergänzen Sie die Artikel und, wenn nötig, die Endungen.

-ung ◆ -nis ◆ -keit

a) _die_ Erfahr_ung_

b) _____ Gedächt_____

c) _____ Gefühl_____

d) _____ Gehirn_____

e) _____ Persönlich_____

f) _____ Stimm_____

Wortschatz 2

Ergänzen Sie die Begriffe aus Übung 13.

a) Es ist einfach unglaublich, was du dir alles merken kannst. Du hast einfach ein phänomenales
_Gedächtnis_____.

b) Mein _____ sagt mir, dass er morgen kommt. – Wenn du dich da mal nicht täuschst!

c) Ich verstehe das einfach nicht. Die Aufgabe ist zu schwierig. – Na, dann musst du dein
_____ eben mal etwas anstrengen.

d) Hier ist ja eine tolle _____! – Wir haben auch allen Grund zu feiern. Die Prüfung ist
geschafft.

e) Könntest du mir nicht einen Tipp geben? Du kennst dich da besser aus und hast einfach auch mehr
_____. – Ich denke, das Wichtigste ist, sich ruhig zu verhalten und abzuwarten.

f) Wie würdest du seine Person einschätzen? – Schwierig zu sagen, er hat auf jeden Fall eine sehr starke
_____ und eine sehr angenehme Ausstrahlung.

Brief an eine Freundin zum 60. Geburtstag

Ergänzen Sie *als* oder *wenn*.

Liebe Ilse,

ich möchte dir ganz herzlich zu deinem 60. Geburtstag gratulieren. Leider kann ich dieses Jahr nicht mitfeiern. Ich hoffe, viele andere Freunde feiern an diesem Tag mit dir. So wie früher!
Erinnerst du dich noch, __als___ du 15 Jahre alt geworden bist und wir alle in eurem Garten gefeiert haben, _____ (1) deine Eltern im Urlaub waren. Zum Glück! _____ (2) ich daran denke, dann sehe ich immer, wie Johannes in euren Teich gefallen ist. Danach hat er ja behauptet, dass er nur einen Fisch fangen wollte.
Leider trennten sich ja unsere Wege, _____ (3) deine Eltern umgezogen sind. Das war schlimm. Ich war noch lange traurig, _____ (4) ich an eurem Haus vorbeigegangen bin.
All diese schönen Erinnerungen … ich denke ganz fest an dich und wünsche dir alles Liebe.

Deine
Ursula

Liebe Ursula,

ich habe mich so über deine netten Geburtstagsgrüße gefreut. Vielen Dank. So viele Erinnerungen sind zurückgekommen. Weißt du noch, _____ (5) wir von zu Hause ausreißen wollten? Wie alt waren wir da? 12 oder 13? Was waren wir für Heldinnen!
Zum Glück haben wir uns auch nach meinem Umzug immer regelmäßig getroffen, _____ (6) wir zusammen in Urlaub gefahren sind. War das schön. Da begannen eigentlich unsere richtigen Abenteuer: Indien, Neuseeland, Kanada.
Unsere nächste Reise ist ja schon geplant! Ich freue mich so darauf, _____ (7) wir beide dann im Flugzeug nach Island sitzen. Bis dahin wünsche ich dir alles Liebe!

Deine
Ilse

15 Plusquamperfekt 1

Ergänzen Sie die Verbformen des Plusquamperfekts mit *haben*.

a) Ich _hatte_ gerade mein Frühstück _beendet_ _____ *(beenden)*, da klingelte das Telefon.

b) Du _____ den Hörer _____ *(auflegen)*, da klingelte es an der Wohnungstür.

c) Wir _____ gerade den Tisch _____ *(decken)*, da erschienen auch schon die ersten Gäste.

d) Hattet ihr überhaupt noch Lust wegzugehen, nachdem ihr so lange _____ _____ *(warten)*?

e) Er hat sie nicht erkannt, obwohl sie sich vorher schon einmal _____ _____ *(sehen)*.

f) Haben Sie sich gefreut ihn zu sehen, nachdem Sie so lange nichts mehr von ihm _____ _____ *(hören)*?

16 Plusquamperfekt 2

Ergänzen Sie die Verbformen des Plusquamperfekts mit *sein*.

a) Ich _war_ gerade _aufgestanden_ _____ *(aufstehen)*, da klopfte es an der Tür.

b) Du _____ gerade _____ *(weg gehen)*, als sie auftauchte.

c) Sie _____ immer pünktlich _____ *(erscheinen)*, bis sie eine Uhr geschenkt bekam.

d) Wir haben uns in ein Café gesetzt, nachdem wir stundenlang durch den Park _____ _____ *(laufen)*.

e) Die Nachricht erreichte sie erst, als sie zu Hause _____ _____ *(ankommen)*.

f) Sie _____ also bereits nach rechts _____ *(abbiegen)*, dann erst haben Sie die rote Ampel bemerkt?

17 Überraschender Besuch

Schreiben Sie Sätze im Plusquamperfekt.

Familie Wunderlich wollte mit ihren vier Kindern in Urlaub fahren. Sie hatten alles vorbereitet.

a) _Sie hatten die Koffer gepackt_ _____ .

    die Koffer packen

b) _____ .

    Zeitung abbestellen

c) _____ .

    den Schlüssel der Nachbarin geben

d) _____ .

    Auto reparieren

e) _____ .

    Reisetabletten kaufen

f) _____ .

    früh aufstehen

    … da kam – ganz überraschend – die Oma zu Besuch!

Endlich!

Schreiben Sie Sätze mit *nachdem*.

a) <u>*Nachdem sie ein 4-Gänge-Menü gegessen hatten,*</u>

 sie – 4-Gänge-Menü essen

b) _____

 sie – bis drei Uhr morgens tanzen und singen

c) _____

 die Nachbarn – sich dreimal beschweren

d) _____

 der Gastgeber – auf dem Sofa einschlafen

e) _____

 sie – sich alle sehr gut amüsieren

 … sind die Gäste nach Hause gegangen!

Logisch!

Markieren Sie *nachdem* oder *bevor*.

		nachdem	bevor	
a)	Ich putzte mir die Zähne,	X		ich gegessen hatte.
b)	Ich zog mir den Schlafanzug an,			ich mich ins Bett legte.
c)	Ich konnte nicht mehr laufen,			ich mir das Bein gebrochen hatte.
d)	Ich stieg in den Zug,			ich mir eine Fahrkarte gekauft hatte.
e)	Ich kannte meine Frau schon lange,			ich sie geheiratet habe.
f)	Ich habe gleich geheiratet,			ich sie kennengelernt hatte.
g)	Ich habe die Kinder in die Schule gebracht,			ich in die Arbeit gegangen bin.
h)	Ich suchte die Telefonnummer,			ich sie anrief.
i)	Ich war allein,			sie mich verlassen hatte.

Übungen zu Teil F

Starke Frauen

Ergänzen Sie die Nebensätze.

Zümrüt Gülbay
Professorin

Sie wurde 1970 in Ankara geboren. *Mit 2 Jahren* zog sie mit ihren Eltern nach Berlin. Das Abitur machte sie als Jahrgangsbeste. *Gegen den Willen* ihres Vaters studierte sie Betriebswirtschaftslehre und Jura. *Nach ihrer Promotion mit 25 Jahren* arbeitete sie als Rechtsanwältin und Dozentin. Seit 1998 ist sie Professorin für Wirtschaftsrecht an der Hochschule Anhalt in Bernburg.

a) Als sie <u>*zwei Jahre alt war,*</u> _____ .

b) Obwohl ihr _____ *wollte*, _____ .

c) Nachdem _____ *promoviert* _____, _____ .

21 Endloswort

Suchen Sie die Wörter und schreiben Sie sie.

EINPAARWOCHEN|STUNDENLANGLETZTESJAHRSEITDREIJAHRENNÄCHSTES
JAHRINZWEITAGENWOCHENLANGDIESESJAHRBISHEUTE

ein paar Wochen, _____

_____

_____

22 Was passt?

Unterstreichen Sie die richtige Lösung.

a) Sie kann sich *stundenlang/zuerst/früher/später* mit sich selbst beschäftigen. Das ist sehr angenehm.

b) Ich habe noch *nie/immer/jetzt/dann* erlebt, dass er pünktlich erscheint. Man muss immer auf ihn warten.

c) Er hat mir gesagt, dass er etwas *oft/nie/ständig/später* kommen wird.

d) Er lebt *zuerst/damals/seit zehn Jahren/letztes Jahr* in Berlin und es gefällt ihm immer noch.

e) Er hat sich *schließlich/ständig/manchmal/immer* dazu entschlossen, das Studium abzubrechen und eine Ausbildung zu machen.

f) Sie hat *später/wochenlang/letztes Jahr/früher* ihr Abitur gemacht.

g) Ich treffe ihn *kurz/danach/oft/nie/zufällig* in der Kneipe an der Ecke. Wir trinken dann meistens einen Espresso zusammen.

h) *Früher/Stundenlang/Schließlich/Kurz* sind wir immer mit den Kindern in Urlaub gefahren. Doch seit sie groß sind, gehen sie eigene Wege.

23 Dialoge

Ergänzen Sie die richtigen Zeitangaben.

a) Komm _*jetzt*_____, bitte! – Ja, ich komme ja _*gleich*_____. *(gleich – jetzt)*

b) Ich habe _____ wirklich keine Zeit! Ruf mich doch _____ noch mal an.
(jetzt – morgen)

c) Ich habe dir schon _____ gesagt: Stell deine schmutzigen Schuhe nicht _____ auf den Teppich. *(immer – oft)*

d) Gehst du noch ins Café Glück? – Nein, nur noch ganz _____. Es ist _____ so voll.
(selten – immer)

e) Trinkst du _____ etwas Wein zum Essen? – Nein, danke, ich trinke _____ nur Wasser. *(immer – manchmal)*

f) Wann stellst du mir Robert denn _____ vor? Ich habe ihn noch _____ gesehen!
(nie – einmal)

g) Ich habe ihn nur ganz _____ mal gesehen. Das ist aber schon _____ her.
(lange – kurz)

h) _____ bin ich früh in der Arbeit. Nur _____ bin ich zu spät gekommen.
(heute – meistens)

i) Kommst du _____ Abend mit? – Nein, ich war _____ Abend so lange weg.
(gestern – heute)

j) Wann soll ich denn vorbeikommen? Gleich _____ oder erst _____? – Das ist mir egal.
(morgen – heute)

bungen zu Teil A

Besuch einer Stadt

Ergänzen Sie die Lücken mit den Begriffen aus dem Kasten.

Park ◆ Zoo ◆ Schloss ◆ Museum (2x) ◆ ~~Rathaus~~ ◆ Kirche ◆ Aussichtsturm

a)

b)

d)

Deutsches Museum

c)

e)

f)

g)

a) Das Herz dieser Stadt ist der *Marienplatz* mit dem Alten und Neuen ___Rathaus___, dessen Glockenspiel um 11 Uhr erklingt.

b) Einen schönen Blick über die Stadt bieten der _____ des *Alten Peter* und der *Olympiaturm* im Olympiapark.

c) Die bekannteste _____ der Stadt ist der *Liebfrauendom*.

d) Das meistbesuchte _____ ist und bleibt das *Deutsche* _____; es enthält die größte Sammlung für Technik-Geschichte der Welt.

e) Der wohl größte und älteste _____ nahe der Innenstadt ist der *Englische Garten*. Er ist einer der beliebtesten Landschaftsgärten.

f) Ein _____ der besonderen Art ist der *Tierpark Hellabrunn*. Unter den rund 5000 Tieren gibt es 450 verschiedene Arten.

g) Ludwig II. hat seine romantischen Träume in den schönsten Landschaften südlich der Residenzstadt verwirklicht: Das wohl bekannteste _____ ist *Neuschwanstein* bei Füssen.

Wie heißt diese Stadt wohl? Sie wird übrigens auch das „Millionendorf" genannt. _____

2 Die Reiseleiterin

Machen Sie Vorschläge und Gegenvorschläge.

Sie arbeiten als Reiseleiterin der Stadt und machen Ihrer Reisegruppe Vorschläge. Die Reisegruppe ist jedoch mit Ihren Vorschlägen nicht zufrieden und äußert Gegenvorschläge.

Reiseleiterin	Reisegruppe
Schreiben Sie Sätze mit *könnten* und *sollten*:	Schreiben Sie Sätze mit *würden (aber) lieber*:
a) in den Biergarten im Englischen Garten gehen *(könnten)*	– ins Hofbräuhaus gehen
b) unbedingt die Ausstellung in der Alten Pinakothek besuchen *(sollten)*	– ins Deutsche Museum gehen
c) die Oper im Nationaltheater ansehen *(sollten)*	– das Fußballspiel im Olympiapark anschauen
d) im Tierpark Hellabrunn spazieren gehen *(könnten)*	– einen Einkaufsbummel in der Maximilianstraße machen
e) auf den Turm des „Alten Peter" steigen *(könnten)*	– mit dem Lift auf den Olympiaturm fahren

a) *Wir könnten in den Biergarten im Englischen Garten gehen. – Wir würden aber lieber ins Hofbräuhaus gehen.*

b) _____

c) _____

d) _____

e) _____

bungen zu Teil B

Wortschatz

Ersetzen Sie die *kursiven* Satzteile durch die Begriffe im Kasten.

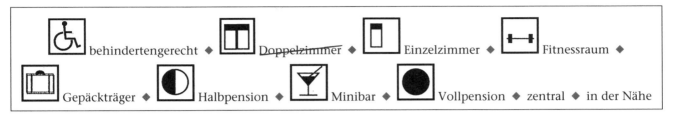

behindertengerecht ◆ Doppelzimmer ◆ Einzelzimmer ◆ Fitnessraum ◆ Gepäckträger ◆ Halbpension ◆ Minibar ◆ Vollpension ◆ zentral ◆ in der Nähe

a) Wir hätten gerne *ein Zimmer für zwei Personen.*
   Doppelzimmer

b) Ich möchte ein *Zimmer für eine Person* reservieren.

c) Wie viel kostet ein Zimmer mit *Frühstück und einer warmen Mahlzeit?*

d) Haben Sie noch ein Zimmer mit *Frühstück und zwei warmen Mahlzeiten* frei?

e) Gibt es auf den Zimmern einen *Schrank mit Erfrischungsgetränken?*

f) Ist Ihr Hotel auch *für Rollstuhlfahrer ausgestattet?*

g) Würden Sie bitte *die Person* rufen, *die meine Koffer auf das Zimmer trägt?*

h) Gibt es bei Ihnen *die Möglichkeit, etwas Sport zu machen?*

i) Liegt Ihr Hotel *mitten in der Stadt?*

j) Ist das Hotel *nicht weit von der Messe entfernt?*

4 Welche Antwort passt?

Markieren Sie die richtigen Antworten.

1 Hotel Bayerischer Hof, Ackermann, grüß Gott.
   - a) Gut, danke. Und Ihnen?
   - ✗ b) Guten Tag. Vordermann, mein Name. Ich möchte ein Zimmer für das kommende Wochenende reservieren.
   - c) Nein, danke. Ich brauche keine Hilfe.

2 Doppelzimmer oder Einzelzimmer?
   - a) Ein Doppelzimmer, bitte.
   - b) Ein Zimmer, bitte.
   - c) Ja, wir haben ein Doppelzimmer.

3 Können Sie mir sagen, wann Sie ankommen? Freitag oder Samstag?
   - a) Wir fahren am Samstag.
   - b) Sehr früh morgens.
   - c) Am Freitagnachmittag.

4 Wissen Sie schon, wie lange Sie bleiben möchten?
   - a) Bis Sonntag. Also zwei Nächte.
   - b) Ja, wir bleiben recht lange in München.
   - c) Einen Moment, bitte.

5 Möchten Sie Vollpension oder Halbpension? Oder nur Übernachtung mit Frühstück?
   - a) Nein danke, wir frühstücken nie.
   - b) Nur Frühstück, bitte.
   - c) Ja, mit Voll- und Halbpension.

6 Benötigen Sie einen Parkplatz?
   - a) Nein, wir haben genug Platz.
   - b) Ja, Sie kommen immer mit dem Auto.
   - c) Ja, wir brauchen eine Parkmöglichkeit.

5 **Nervige Fragen im Reisebüro**

Was ist richtig? Unterstreichen Sie.

a) Ich hätte gern gewusst, *warum / wer / <u>wo</u>* man billig Urlaub machen kann.

b) Können Sie mir sagen, *wie lange / wer / ob* man dort deutsch spricht?

c) Ich möchte gern wissen, *wer / wie / wann* dort wenig Touristen sind.

d) Darf ich fragen, *wer / wie / ob* man dort auch deutsches Essen findet?

e) Können Sie mir sicher sagen, *wie / wann / ob* im Dezember dort die Sonne scheint?

f) Sagen Sie mir doch bitte, *wie / wann / wer* es dort besonders heiß ist.

g) Ich möchte noch gern wissen *wo / wie lange / wer* man zum Strand laufen muss.

h) Ich würde gern wissen, *wie / ob / wer* man dort gut und günstig einkaufen kann.

i) Bitte sagen Sie mir noch, *wie / ob / welche* Sehenswürdigkeiten ich dort besichtigen kann.

j) Können Sie mir sagen, *wie / warum / ob* das tatsächlich so viel kostet?

6 **Schreiben Sie nun die direkten Fragen aus Übung 5.**

a) *Wo kann man billig Urlaub machen* _____ ?

b) _____ ?

c) _____ ?

d) _____ ?

e) _____ ?

f) _____ ?

g) _____ ?

h) _____ ?

i) _____ ?

7 **Noch was?**

Schreiben Sie die *kursiven* Wörter in der richtigen Reihenfolge.

a) Weißt du, *alles – wer – mitfährt?*
   Weißt du, wer alles mitfährt? _____

b) Kannst du mir sagen, *genau – wann – abfährt – der Zug.*
   _____

c) Weißt du eigentlich, *sind – wo – die Fahrkarten?*
   _____

d) Ich würde gern wissen, *reserviert – Sitzplätze – sind – ob.*
   _____

e) Weißt du, *wie – fürs Umsteigen – Zeit – wir – haben – viel?*
   _____

f) Darf ich fragen, *in deinen Koffer – wie – du – packen – das alles – möchtest?*
   _____

g) Ich habe keine Ahnung, *ich – habe – die Reiseunterlagen – hingelegt – wo.*
   _____

h) Ich glaube ich ruf mal Peter an und frage, *der nächste Zug – wann – fährt.*
   _____

Urlaub ohne Maunzi

Unterstreichen Sie noch drei falsche Nebensätze und korrigieren Sie sie.

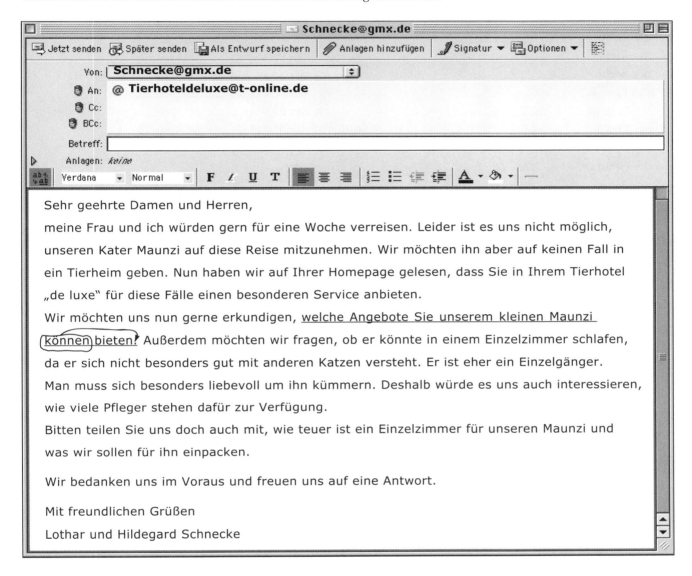

Sehr geehrte Damen und Herren,

meine Frau und ich würden gern für eine Woche verreisen. Leider ist es uns nicht möglich, unseren Kater Maunzi auf diese Reise mitzunehmen. Wir möchten ihn aber auf keinen Fall in ein Tierheim geben. Nun haben wir auf Ihrer Homepage gelesen, dass Sie in Ihrem Tierhotel „de luxe" für diese Fälle einen besonderen Service anbieten.

Wir möchten uns nun gerne erkundigen, welche Angebote Sie unserem kleinen Maunzi können bieten? Außerdem möchten wir fragen, ob er könnte in einem Einzelzimmer schlafen, da er sich nicht besonders gut mit anderen Katzen versteht. Er ist eher ein Einzelgänger. Man muss sich besonders liebevoll um ihn kümmern. Deshalb würde es uns auch interessieren, wie viele Pfleger stehen dafür zur Verfügung.

Bitten teilen Sie uns doch auch mit, wie teuer ist ein Einzelzimmer für unseren Maunzi und was wir sollen für ihn einpacken.

Wir bedanken uns im Voraus und freuen uns auf eine Antwort.

Mit freundlichen Grüßen

Lothar und Hildegard Schnecke

Übungen zu Teil C

Adjektive 1

Bilden Sie Adjektive aus den Nomen mit den Endungen aus dem Kasten.

-los ◆ -voll ◆ -ig ◆ -lich ◆ -isch

a) jede Stunde _stündlich_

b) voll Geduld _____

c) mit Vernunft _____

d) voll Gefühl _____

e) jeden Monat _____

f) ohne Arbeit _____

g) per Telefon _____

h) voll Ruhe _____

i) ohne Pause _____

j) voll Freundschaft _____

k) wie es gerade Mode ist _____

l) ohne Rat _____

m) mit Vorsicht _____

n) voll Humor _____

10 Adjektive 2

Bilden Sie Adjektive mit -lich und -isch.

a) der Alltag _alltäglich_

b) die Elektronik _____

c) der Ärger _____

d) der Beruf _____

e) das Europa _____

f) der Freund _____

g) der Frieden _____

h) die Demokratie _____

i) die Gesundheit _____

j) der Mensch _____

k) die Natur _____

l) die Person _____

m) der Sport _____

n) der Staat _____

o) die Politik _____

p) der Mund _____

q) die Schrift _____

Übungen zu Teil D

11 Missverständnisse

Ergänzen Sie die Personalpronomen im Akkusativ.

Silke und Wolfgang wollen für einen Monat verreisen. Vor der Abreise gibt es noch einige Fragen zu klären.

● Hast du die Flugtickets abgeholt?

▲ Nein, ich dachte, du wolltest sie _sie_ (1) nach der Arbeit besorgen.

● Hast du das Hotel reserviert?

▲ Nein, ich dachte, du wolltest _____ (2) reservieren.

● Hast du deine Mutter über unsere Abreise informiert?

▲ Nein, ich dachte, du wolltest _____ (3) anrufen.

● Hast du den Wagen reparieren lassen?

▲ Nein, ich dachte, du wolltest _____ (4) noch in die Werkstatt bringen.

● Hast du deiner Schwester gesagt, dass wir alleine fahren?

▲ Nein, ich dachte, du wolltest ihr sagen, dass wir ohne _____ (5) fahren. Warum wartet sie eigentlich schon unten auf _____ (6)?

● Weißt du eigentlich, dass ich große Lust habe ohne _____ (7) beide in Urlaub zu fahren?

▲ Nein, weiß ich nicht, aber ich dachte eher daran, allein mit meiner Schwester zu fahren.

2. Lobrede zum 60. Geburtstag

Ergänzen Sie *ihn* oder *ihm*.

Wie soll ich _ihn_ (1) beschreiben, meinen Hans? Ich habe _____ (2) als treuen Ehemann erlebt. Das hat sich bis heute nicht geändert, meine Kinder kennen _____ (3) als verständnisvollen Vater, der auf alles eine Antwort weiß. Sie sind inzwischen erwachsen, doch kommen sie noch oft und fragen _____ (4) um seinen Rat. Nichts ist _____ (5) zu viel. Kein Problem, für das es nicht auch eine Lösung gibt, sagt er immer. Von _____ (6) erhoffen sich alle Hilfe und keiner wird enttäuscht. Ich kann mich nicht erinnern, mich jemals über _____ (7) geärgert zu haben und wir kennen uns nun schon sehr lange: Immerhin habe ich 40 Jahre meines Lebens mit _____ (8) verbracht. Ich sehe _____ (9) noch vor mir, den schönen jungen Mann, der meine Eltern fragte, ob er mich heiraten darf. Ach, das waren noch Zeiten, all die romantischen Stunden, die ich mit _____ (10) verbringen durfte und noch darf. Ein Leben ohne _____ (11)? Das kann ich mir gar nicht vorstellen. Ich wünsche _____ (12) und uns noch viele glückliche Jahre.

3. Hochzeitsrede der besten Freundin

Ergänzen Sie *sie* oder *ihr*.

So, nun trifft es _sie_ (1) auch, unsere Johanna. Auch sie ist nun in festen Händen – was man lange nicht von _____ (2) behaupten konnte. Ihr Leben war nicht nur für _____ (3) ein Abenteuer, sondern für viele, die _____ (4) kennenlernten. Ich möchte nur einige wenige Beispiele erwähnen: Alex zum Beispiel ist mit _____ (5) und mit dem Motorrad vier Wochen lang durch die Wüste gefahren. Jörg hat _____ (6) beim Trampen in Indien getroffen. Ohne _____ (7) hätte Matthias sicherlich nie die Radtour durch Australien gemacht. Es gibt noch viele Geschichten von _____ (8), die ich gar nicht alle erzählen kann. Es stellt sich für mich natürlich vor allem die Frage, was _____ (9) am meisten gefallen hat in ihrem aufregenden Leben. Wir haben die Antwort gefunden: Jens. Es ist uns ein Rätsel, Jens, wie du es geschafft hast, _____ (10) zur Ruhe zu bringen, mit _____ (11) gemeinsam ein kleines Häuschen im Grünen zu bewohnen, mit einem kleinen Garten, der _____ (12) große Freude bereitet. Wir haben dich noch vor _____ (13) gewarnt, aber es war nicht notwendig. Du musstest keine Viertausender besteigen oder die Welt umsegeln. Wir wünschen euch beiden viel Glück!

4. Zum Goldenen Hochzeitstag

Ergänzen Sie *sie* oder *ihnen*.

- ■ Stell dir vor, meine Eltern feiern heute ihren 50. Hochzeitstag: 50 Jahre gemeinsame Ehe, das ist doch eine Leistung.
- ● Und hast du _sie_ (1) schon angerufen und _____ (2) gratuliert?
- ■ Nein, aber ich habe _____ (3) etwas geschickt, es soll eine Überraschung werden.
- ● Womit willst du _____ (4) denn überraschen?
- ■ Mit einem Gutschein für ein Wochenende in dem Ort, wo sie sich kennen gelernt haben. Das war ein kleines einsames Dorf im Tessin.
- ● Das ist ja eine nette Idee. Das wird _____ (5) sicherlich sehr freuen.
- ■ Das hoffe ich doch, es ist nämlich nicht so leicht _____ (6) etwas zu schenken.

15 Die Kündigung

Ergänzen Sie *Sie* oder *Ihnen*.

Sehr geehrter Herr Brause,

ich möchte _Ihnen_ (1) hiermit mitteilen, dass ich morgen nicht mehr in die Arbeit komme.

Das überrascht _____ (2) vielleicht. Ich wollte es _____ (3) jedoch schon lange

sagen. Wie _____ (4) sicherlich wissen, bin ich ein sehr geduldiger und hilfsbereiter

Mensch, doch die viele Arbeit, die ich täglich von _____ (5) bekommen habe, und der

Ärger dazu, nein, das war einfach zu viel.

Schon um 7 Uhr sollte ich für _____ (6) Kaffee kochen, _____ (7) das Frühstück

zubereiten und Ihren chaotischen Schreibtisch aufräumen. Außerdem musste ich viele Termine

für _____ (8) vereinbaren, die Sie dann vergessen haben. Die Gäste waren dann natürlich

sauer auf _____ (9), aber sie haben immer mit mir geschimpft, obwohl ich doch gar nichts

dafür konnte. Nein, das ertrage ich nicht mehr, meine Nerven sind ruiniert: Ich kündige hiermit.

Ich wünsche _____ (10) alles Gute für die Zukunft und grüße _____ (11).

Ihre ehemalige Sekretärin

Susanne Sitzko

16 Satzsalat

Bringen Sie die Wörter in die richtige Reihenfolge.

a) **Dein Anruf** – mich – sehr – überrascht.
   Dein Anruf überrascht mich sehr.

b) **Hast** – du – informiert – ihn?
   _____

c) **Ich** – ihm – schreibe – eine E-Mail.
   _____

d) **Ich** – um – eine Antwort – bitte – dich.
   _____

e) **Ich** – die Schlüssel – bringe – dir.
   _____

f) **Er** – sie – wie – eine Angestellte – behandelt.
   _____

g) **Gibst** – den Zucker – du – mir – **bitte**?
   _____

h) **Ich** – habe – das Geld – zurückgegeben – dir – doch.
   _____

i) **Gestern** – begegnet – bin – ich – zufällig – ihm.
   _____

Pronomen im Akkusativ und Dativ

Ersetzen Sie die Ergänzungen jeweils durch Pronomen und schreiben Sie die Sätze.

a) das Taxi – der Gast *(bestellen)*

Können Sie es dem Gast bestellen? – Können Sie ihm das Taxi bestellen? – Können Sie es ihm bestellen?

b) die Rechnung – die Gäste *(geben)*

Können Sie sie den Gästen geben? – Können Sie ihnen

c) der Schlüssel – das Zimmermädchen *(überreichen)*

d) Zimmer 109 – die Dame *(reservieren)*

e) die Parkplätze – der Herr *(zeigen)*

Der fleißige Sekretär

Schreiben Sie zwei mögliche Antworten.

Sie sind ein viel beschäftigter Hotelmanager. Ihr Sekretär muss deshalb auch viel Privates für Sie erledigen. Sie fragen nach, ob er alles erledigt hat. Er antwortet Ihnen.

a) Geburtstagskarte Großmutter

Und die Geburtstagskarte für meine Großmutter?
Ich habe sie ihr bereits geschickt.
Die habe ich ihr bereits geschickt.

b) Buch „Harry Potter" Nichte

c) Einladung – Schwiegereltern

d) Blumen – Ehefrau

e) Zigarren – Schwiegervater

f) Brief – Bruder

19 Richtungsangaben

Schreiben Sie.

> Entschuldigen Sie, wie komme ich zum Bahnhof?

a) Gehen Sie hier immer _geradeaus_____ .

b) Gehen Sie _____ Brücke.

c) Gehen Sie den Fluss _____ .

d) Gehen Sie _____ Theater.

e) Gehen Sie hier _____ .

f) Gehen Sie _____ den Park _____ .

g) Gehen Sie _____ Hopfenstraße.

h) Gehen Sie _____ Friedhof _____ .

i) Gehen Sie hier _____ .

j) Gehen Sie _____ .

20 Wegauskünfte

Ergänzen Sie die Lücken.

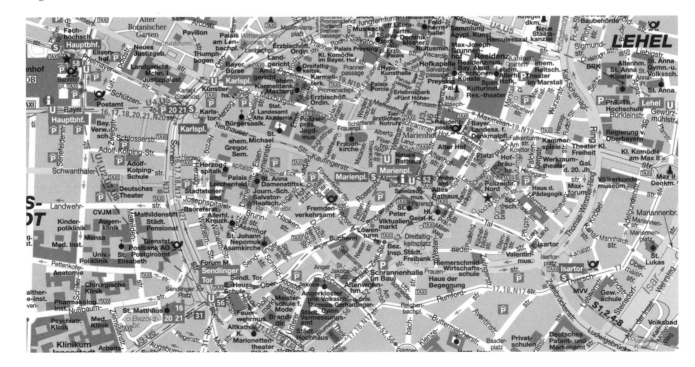

a) bis zur ◆ in die (2x) ◆ geradeaus ◆ ~~bis zum~~ ◆ am … vorbei ◆ ~~entlang~~ (2x) ◆ über (2x) ◆ durch

● Entschuldigen Sie bitte, wo ist denn der Hofgarten?

■ Da gehen Sie hier am besten hier links, dann die Prielmayerstraße _entlang_ (1) _bis zum_ (2) Karlsplatz. Dort biegen Sie nach links _____ _____ (3) Sonnenstraße, dann immer
_____ _____ (4), _____ Maximiliansplatz _____ (5). Sie biegen dann _____
_____ (6) Jungfernturmstraße, gehen _____ (7) den Amiraplatz _____ _____ (8)
Briennerstraße, dann nach rechts die Briennerstraße _____ (9), _____ (10) den Odeonsplatz,
_____ (11) das Tor der Residenz, dann stehen Sie im Hofgarten.

● Vielen Dank.

b)   geradeaus (2x) ◆ in die (2x) ◆ entlang ◆ am … vorbei ◆ über (4x) ◆ durch ◆ bis zum

▲ Können Sie mir sagen, wie wir zum Deutschen Museum kommen?

■ Zum Deutschen Museum? Natürlich. Gehen Sie am besten hier _____ (1) den Bahnhofsplatz in die
Schützenstraße, dann kommen Sie _____ _____ (2) Fußgängerzone, gehen _____
den Karlsplatz _____ _____ (3) Neuhauserstraße, dann weiter _____ (4),
_____ Deutschen Jagd- und Fischereimuseum _____ (5), _____ (6) den Marienplatz,
_____ (7) das Tor des Alten Rathauses und dann immer _____ (8), die Zweibrücken-
straße _____ (9), _____ (10) die Ludwigsbrücke, da sehen Sie dann schon auf der rechten
Seite das Deutsche Museum.

▲ Ist das weit entfernt?

■ Na ja, Sie gehen ungefähr 20 Minuten zu Fuß. Sie können von hier aus auch die S-Bahn nehmen
_____ _____ (11) Isartor.

▲ Das ist eine gute Idee. Vielen Dank.

c)   am … vorbei ◆ bis zum (3x) ◆ geradeaus ◆ bis zur ◆ in die (3x) ◆ gegenüber vom

◆ Wissen Sie, wo der Alte Südfriedhof ist?

■ Natürlich, gehen Sie hier von hier aus nach rechts _____ _____ (1) Bayerstraße
_____ _____ (2) Karlsplatz, biegen Sie dann nach rechts _____ _____ (3)
Sonnenstraße, dann immer _____ (4) _____ _____ (5) Sendlinger Tor. Gehen
Sie links _____ Sendlinger Tor _____ (6) _____ _____ (7) Kreuzung
Thalkirchnerstraße/Müllerstraße. Biegen Sie nach rechts _____ _____ (8) Thalkirchner-
straße, nach ca. 100 Metern treffen Sie auf den Eingang des Alten Südfriedhofs.

◆ Können wir auch öffentliche Verkehrsmittel nehmen?

■ Ja, die Straßenbahnstation ist _____ _____ (9) Haupteingang des Bahnhofs, dort
steigen Sie in die 17 oder 18 und fahren _____ _____ (10) Sendlinger Tor. Von dort aus
gehen Sie weiter, wie ich Ihnen beschrieben habe.

◆ Vielen Dank für die Auskunft.

21 **Kreuzworträtsel: Was ist das?**

Ergänzen Sie die Wörter. Wie heißt das Lösungswort?

1   Es regnet große Körner.
2   Man sieht dabei überhaupt nichts mehr.
3   Sie bewegen sich am Himmel.
4   Das gibt es, wenn Wasser friert.
5   Das ist ein sehr starker Wind.
6   Die Temperatur liegt dabei unter 0 Grad Celsius.
7   Das ist ein sehr kurzer und starker Regen.
8   Das ist kurz nach einem Blitz.

1	H	A	G	E	L

22 **Was passt? Ordnen Sie zu.**

a) Sonne   donnern und blitzen

b) Wind   scheinen

c) Gewitter   regnen

d) Wolke   blasen

23 **Was passt nicht? Streichen Sie durch.**

a) Regen – Sonne – Niederschlag – Schauer

b) Schnee – Hitze – Eis – Frost

c) Blitz – Donner – Eis – Gewitter

d) unbeständig – wechselhaft – klar – gewittrig

e) kalt – nass – klar – kühl

f) regnerisch – freundlich – trocken – warm

g) mild – klar – freundlich – nass

h) heiß – bewölkt – regnerisch – wechselhaft

24 **Dialoge rund ums Wetter**

Ergänzen Sie.

Sonne ◆ schneit ◆ Wolken ◆ heiß ◆ Regen ◆ regnet ◆ Föhn ◆ Gewitter ◆ Frost

a) Hast du Lust baden zu gehen? Es ist so _heiß_____ draußen. – Das ist eine gute Idee. Aber am Abend
     soll es ein _____ geben.

b) Schau mal, da hinten die schwarzen _____. Es gibt sicherlich _____. Komm, lass
     uns schnell nach Hause gehen.

c) Ist das nicht ein schreckliches Wetter heute? Mal _____ es, mal scheint die _____.
     – Ja, ein richtiges Aprilwetter!

d) Hast du den Wetterbericht für morgen gehört? – Ja, es gibt _____. – Oh, nein, nicht schon
     wieder. Da bekomme ich sicherlich wieder Kopfschmerzen.

e) Schau mal, wie es _____. – Oh, wie schön, dann wird alles weiß.

f) Oh je, heute Nacht gab es _____. Wir müssen die Blumen hineinnehmen. – Du hast Recht.

Lösungsschlüssel

Lektion 1

1 **b** Lehrling **c** kostenlos **d** verdient **e** arbeitslos
f unabhängig **g** Hausarbeit
h Wohngemeinschaft **i** Zukunft **j** leisten
Lösung: ELTERNHAUS

2 **b** weil **c** obwohl **d** obwohl **e** weil **f** weil
g obwohl

3 2 d 3 a 4 b 5 c 6 e

4 **b** weil **c** obwohl **d** weil **e** obwohl **f** obwohl
g weil **h** weil

5 **b** habe **c** gibt **d** macht **e** ist **f** hat **g** bezahlen
h hat / verdient

6 **b** Weil du das Zimmer nicht bezahlen kannst.
c Weil wir letztes Jahr vier Wochen in den USA
waren.
d Weil wir uns das nicht leisten können.
e Weil du noch lernen musst.
f Weil du seit fünf Stunden vor dem Fernseher
sitzt.
g Weil er in Australien wohnt.

7 **b** Nicola und Maria haben oft Streit, obwohl sie
gute Freundinnen sind.
c Jan liebt seinen Beruf, obwohl er wenig Geld
verdient.
d Isabelle spricht gut deutsch, obwohl sie noch
nicht lange in Deutschland lebt.
e Wir fahren in die Karibik, obwohl wir wenig Geld
haben.
f Vanessa wird Schauspielerin, obwohl sie Lehrerin
werden soll.
g Julia geht spät ins Bett, obwohl sie morgen früh
aufstehen muss.
h Klaus raucht, obwohl seine Eltern dagegen sind.
i Michael geht in die Arbeit, obwohl er krank ist.

8 **a** war **b** Wart, hatten **c** warst, war **d** war
e hatte **f** wart, hatten **g** Waren **h** waren, hatten
i war **j** wart, war

9 **b** mussten **c** konnten **d** durftet **e** sollte
f durftest **g** sollten **h** konnten **i** musste
j durften **k** sollte **l** konntet **m** wollten
n mussten **o** wolltest

10 **b** durfte, dürfen **c** wollte, wollen **d** durfte,
dürfen **e** musste, müssen **f** durfte, dürfen
g musste, müssen **h** durfte, dürfen **i** musste,
müssen **j** wollte, wollen

11 **richtig: b** habe **c** durfte **d** kann **e** will **f** hatte
g habe **h** konnte **i** hatte **j** musste

12 2 e 3 d 4 a 5 c
2 Mit 16 Jahren hatte ich viel Streit mit meinen
Eltern.
3 Mit drei Jahren konnte Norbert schon lesen.
4 Als Schauspielerin lernte sie viele interessante
Menschen kennen.

5 Als Student wollte er in einer Wohngemeinschaft
wohnen.

13 **b** war, ist **c** wurde, wird **d** wollte, ist **e** konnte,
kann **f** gab, geht **g** hatte, hat **h** konnte, kann
i wollte, lebt **j** war, arbeitet

14 **a** wollte **b** konnten, mussten **c** sollte **d** konnte,
wollte **e** sollte **f** Durftest, durfte **g** wollte

15 **b** musste **c** solltest **d** sollte, musste **e** solltet
f musste

16 2 d 3 b 4 c 5 a

17 **b** Ja **c** Nein **d** Ja **e** Doch **f** Ja **g** Nein **h** Doch

Lektion 2

1 1 Kreuzfahrt 2 Entspannungs-Wochenende
3 Strandurlaub 4 Campingurlaub
5 Familienferien 6 Ausflug 7 Rundreise
8 Städtereise 9 Weltreise

2 sehen / kennenlernen / nehmen / liegen /
mitmachen / faulenzen / verlieren / ankommen /
einschlafen / gehen / treffen / verpassen / einladen /
brauchen / suchen / finden / bleiben

3 **ge/.../(e)t:** gespielt / gelernt / gewartet
ge/.../en: gegessen / geflogen / getrunken
... ... /t: besucht / erzählt / verpasst / besichtigt
... / ge / ... (e)t: eingekauft / aufgewacht
... / ge / ... / en: abgeflogen / zurückgefahren /
umgestiegen **... ... / en:** begonnen / bekommen /
vergessen

4 ... aufräumen / ... abholen / ... verlängern /
... packen / ... bringen / ... besorgen / ... wechseln /
... telefonieren
b habe ... aufgeräumt **c** habe ... abgeholt
d habe ... verlängert **e** habe ... gepackt
f habe ... gebracht **g** habe ... besorgt
h habe ... gewechselt **i** habe ... telefoniert

5 **b** gewesen **c** getroffen **d** verloren **e** gepackt
f abgeholt **g** gesehen **h** eingeschlafen
i vergessen **j** geblieben **k** bekommen

6 2 verpasst 3 gefahren 4 ausgepackt 5 gefahren
6 gemacht 7 eingekauft 8 gesetzt 9 getrunken
10 gegessen 11 kennengelernt

7 **b** sein **c** haben **d** haben **e** sein **f** haben **g** sein
h haben

8 2 habe 3 sind 4 haben 5 haben 6 sind 7 hat
8 sind 9 sind 10 sind 11 habe 12 bin
13 habe 14 sind 15 haben 16 sind 17 haben

9 Wir sind todmüde in der Nacht in Havanna
angekommen und ins Hotel gefahren.
Erst am nächsten Tag haben wir das Hotel und den
Strand gesehen. Tagsüber haben wir am Strand in der
Sonne gelegen. Wir sind auch viel getaucht. Ich habe
viel gelesen, und Julian ist gesurft. Einmal haben wir
einen Ausflug nach Havanna gemacht. Dort haben

wir viele Sehenswürdigkeiten besichtigt. Ich habe natürlich Souvenirs gekauft. In der Lieblingsbar von Hemingway haben wir einen Cocktail getrunken. Wir sind auch in den Bergen gewandert. Auf unserer Wanderung haben wir nette Leute kennengelernt.

10 b Reisebüro c Reisefieber d Reiseapotheke
e Reisegepäck f Reiseführer

11 2 Weltreise 3 Hochzeitsreise 4 Gruppenreise
5 Busreise 6 Städtereise 7 Rundreise
8 Geschäftsreise

12 2 furchtbar langweilig 3 wirklich sauer
4 Einfach super 5 fix und fertig 6 wirklich
interessant 7 ganz schön anstrengend

13 b welches c welchem d Welche e Welche
f Welche g Welches

14 b südlich c im Süden d bei e an f an g in
h am i im Norden j bei

15 2 f 3 a 4 c 5 d 6 b 7 h 8 g

16 **England, Cornwall:** ... hat fast die ganze Zeit
geregnet. ... ich bin viel gewandert. **Thailand,
Bangkok:** ... bin ich durch die Stadt gelaufen ...
habe viele Tempel gesehen. ... habe ich schöne
Souvenirs gekauft. **Australien, Brisbane:** ... habe
ich meinen Freund Adrian besucht. ... haben wir
am Strand gelegen ... Beach-Volleyball gespielt.
Südafrika, Krüger Park: ... habe ich eine Safari
gemacht. ... habe viele Tiere fotografiert.

Lektion 3

1 b Mund c Arm d Busen e Kopf f Lunge
2 b Hals c Magen d Ohren e Zahn f Kopf
g Rücken h Bauch
3 a Bauch b Rücken c Kopf d Schnupfen e Fieber
4 Na, was fehlt Ihnen denn?
Wie lange haben Sie die Schmerzen denn schon?
Wo tut's denn weh?
Ich verschreibe Ihnen ein Medikament.
... gute Besserung.
5 b Diät c Ernährung d Obst und Gemüse
e Alkohol f Friseur g Leute h Hobby
6 Sie sollten nicht rauchen!
Sie sollten (viel) schwimmen. / Sie sollten (mehr)
Sport machen!
Sie sollten im Bett bleiben!
Sie sollten eine Diät machen!
Sie sollten ein Medikament / Medizin /
Medikamente nehmen!
7 b mehr, weniger c weniger d früher, mehr
8 b Kartoffeln c Vollkornbrot d Erdbeeren
e Pfirsiche f Erbsen g Kirschen h Tomaten
i Bananen
9 **passt nicht:** b Mehl c Walnüsse d Haferflocken
e Öl f Quark
10 b langsam c niedrig d klein e alt f dünn
g reich h krank i langweilig
11 **Typ „klein":** wenig – weniger – am wenigsten /
dünn – dünner – am dünnsten / langsam –
langsamer – am langsamsten / lustig – lustiger –

am lustigsten / ruhig – ruhiger – am ruhigsten
a-ä etc: gesund – gesünder – am gesündesten /
lang – länger – am längsten / alt – älter – am
ältesten / jung – jünger – am jüngsten
unregelmäßig: gut – besser – am besten / gern –
lieber – am liebsten

12 b weniger c mehr d besser e früher f schlanker
g schöner h jünger i fröhlicher

13 b langweiliger c langsamer d älter e billiger
f ärmer g dicker h interessanter

14 b Agnes ist älter als Sarah. Erna ist am ältesten.
c Michael Schumacher ist reicher als Rudi R.
Bill Gates ist am reichsten.
d Der/Ein Hund ist größer als die/eine Maus.
Der/Ein Elefant ist am größten.
e Die/Eine Pension ist teurer als der/ein
Campingplatz. Das/Ein Fünf-Sterne-Hotel ist am
teuersten.
f Spaghetti sind gesünder als Würstchen. Obst ist
am gesündesten.
g Tennis ist interessanter als Schwimmen.
Tauchen ist am interessantesten.

15 b teuerste c billigste d jüngste e höchste
f wärmste g sportlichste h liebsten i schnellsten
j einfachsten k schönste

16 b ... Gisela Grippe hat.
c ... ich eine Diät machen soll.
d ... der dickste Mann 404 Kilo wiegt?
e ... Sybille und Otto geheiratet haben.
f ... Andreas jeden Tag ins Fitnessstudio geht?
g ... sie einen tollen Mann kennengelernt hat.
h ... sie nächstes Jahr nach Deutschland kommen
will.

17 2 nehme 3 esse 4 trinke 5 reicht
6 zunehmen 7 gehe 8 mache 9 habe 10 halte
11 genieße

18 2 c 3 a 4 f 5 g 6 d 7 b

19 a ... in den Himmel sehe.
b ... wenn ich schöne Musik höre und tanze.
c ... wenn ich mit Freunden einen netten Abend
verbringen kann.
d ... wenn du mich in den Arm nimmst.
e ... wenn ich stundenlang mit einer Freundin über
Gott und die Welt rede.
f ... wenn ich im Sommer durch den warmen
Regen laufe.
g ... wenn ich im Meer schwimmen kann.
h ... wenn ich einen Liebesbrief bekommen habe.

20 b Mach eine Diät, wenn du zu dick bist.
c Nehmen Sie ein anderes Medikament, wenn Sie
immer noch Schmerzen haben.
d Du musst zum Arzt gehen, wenn du seit einer
Woche Fieber hast.
e Besuch doch bitte Carlos, wenn du nach Spanien
fährst.
f Ihr könnt einkaufen gehen, wenn ihr nichts zu
tun habt.
g Sie sollten ein lustiges Buch lesen, wenn Sie
traurig sind.

21 **wann:** d, f, g, i
  wenn: b, c, e, h
22 **mit -heit:** wahr – die Wahrheit / gemein – die
  Gemeinheit / frei – die Freiheit / beliebt – die
  Beliebtheit
  mit -keit: belastbar – die Belastbarkeit / traurig –
  die Traurigkeit / persönlich – die Persönlichkeit /
  möglich – die Möglichkeit / natürlich – die
  Natürlichkeit
23 **a** Ja, es ist wirklich lecker. **b** Stimmt so. **c** Nein,
  bitte getrennt. **d** Danke gleichfalls.
24 **Gespräch 1:** Wir haben einen Tisch reserviert,
  auf den Namen Klein. – Hier die Speisekarte! –
  Ich nehme ein Bier. – Nein, ich hätte gern ein
  Mineralwasser.
  Gespräch 2: Ja, aber eine Frage: Was für eine
  Tagessuppe haben Sie heute? – Noch eine Frage:
  Was ist „Reiberdatschi"? – Und Sie? Was wünschen
  Sie?
  Gespräch 3: Herr Ober, wir möchten bezahlen! –
  Stimmt so! – Danke, gleichfalls.

Lektion 4

1 grasgrün, zitronengelb, schneeweiß, schokoladen-
  braun, erdbeerrot, himmelblau
2 die Ruhe, die Treue, die Aktivität, die Traurigkeit,
  die Dunkelheit, die Gefahr, die Einsamkeit, die
  Angst, die Fantasie
3 Leben – Tod, Kälte – Wärme, Heimweh – Fernweh,
  hell – dunkel, fröhlich – traurig, alt – frisch
4 **b** der **c** der **d** der **e** meines **f** meiner
5 ein hübsches Gesicht, dunkle Haut/Augen/Haare,
  einen dunklen Teint, helle Haut/Haare, lockige
  Haare, blaue Augen, ein breites Gesicht, einen
  blassen Teint, weiche Haut/Haare
6 **2** schmal / d **3** blond / e **4** dunkel / f
  5 hübsch / a **6** kurz / b **7** lockig / g **8** klein / c
7 **b** lange, dünne **c** einen runden **d** kleine **e** große
  f einen breiten **g** eine schmale **h** glatte
8 **1** ... schlank. **2** ... lange, blonde Haare und lange
  Beine. **3** ... hübsches Gesicht und eine schmale
  Nase. **4** ... schöne Augen. **5** ... sportliche
  Kleidung. **6** ... groß und habe breite Schultern.
  7 ... große Ohren und einen breiten Mund.
  8 ... eine große Nase. **9** ... einen kleinen Bauch.
  10 ... normal. **11** ... lustig und hast einen guten
  Humor. **12** ... rote Rose mit.
9 **b** langweiliges **c** guter **d** wunderschöne
  e billigen **f** teure **g** starke **h** lange **i** heiße
  j schönes **k** neuen
10 **b** rote, braunen **c** schönste **d** nächsten **e** neue
  f nächsten **g** Blonde **h** italienische **i** neuen **j** neue
11 **b** der Hut/¨-e **c** der Anzug/¨-e **d** das Kostüm/-e
  e die Hose/-n **f** der Schuh/-e **g** die Socke/-n
  h der Pullover/- **i** das Kleid/-er **j** das Hemd/-en
  k die Bluse/-n **l** das Sakko/-s
12 **b** neuer **c** neue **d** neues **e** kurze **f** blaue
  g weiße **h** schwarze **i** braune

13 **b** Das schicke **c** Den großen **d** Den neuen
  e Eine kurze **f** Dünne **g** Den neuen **h** Bequeme
  i eine praktische **j** Gute **k** Die teure
  l Ein lustiges **m** Einen bunten
14 **1** ... zwei weiße und eine schwarze. **2** ... die
  schicke Hose. **3** Fünf lange Hosen! **4** ... meinen
  grünen Minirock ... dünne Röcke. **5** ... das weiße
  und ein gelbes und ... die dünne Bluse. **6** Den
  roten oder den weißen Bikini? **7** Einen dicken ...
  8 ... ein paar schicke Kleider! **9** Und das schöne
  neue Handtuch ... **10** ... meine braune
  Sonnenbrille. **11** ... den großen schwarzen und
  noch eine kleine Tasche. **12** ... die große
  Reisetasche? **13** ... die richtigen Kleider.
  14 ... keinen hübschen Sonnenhut. **15** ... ein
  schönes Sommerkleid. **16** ... keine schicken
  Schuhe!
15 **a** welches **b** Welche **c** welche
16 **a** den weißen **b** was für **c** Welchen **d** Welche
  e Welchen **f** Welches **g** Welche **h** Was für eine
  i Welches
17 **b** schmeckt **c** passt **d** gefällt **e** steht
18 **a** mir **b** dir **c** mich **d** dir **e** mich **f** dir **g** dich
  h mir
19 **2** für einen besonderen Anlass **3** Ich habe Größe
  4 Das gefällt mir **5** so etwas auch in einer
  anderen Farbe **6** probieren Sie mal **7** Es ist mir zu
  klein **8** bitte **9** steht Ihnen **10** wirkt sehr
  elegant **11** das nehme ich **12** Wie viel kostet es
20 den neuen Freund / die neue Freundin, die neue
  Freundin, mit der neuen Freundin / das neue Kleid,
  das neue Kleid / die neuen Freunde, die neuen
  Freunde / ein neuer Freund, einen neuen Freund /
  eine neue Freundin, mit einer neuen Freundin /
  ein neues Kleid, in einem neuen Kleid / neue
  Freunde, neue Freunde, neuen Freunden
21 **b** ... dem schweren Gepäck ... **c** ... meinem
  japanischen ... **d** ... ihrem neuen ... **e** ...dem
  schwarzen ... **f** ... einer total langweiligen ...
  g ... dem hässlichen ... **h** ... der braunen ...
  i ... dem neuen ... **j** ... der neuen ... **k** ... der
  neuen ... **l** ... dem kurzen ... **m** ... dem alten
  Fahrrad ...
22 **1** buntes **2** eine **3** kurze **4** einen **5** altmodischen
  6 eine **7** warmes **8** den **9** ganzen **10** unnötige
  11 andere **12** interessante **13** langweilige
  14 ein **15** schönes **16** andere **17** nette
23 **1** ... extravagant ... **2** ... ein schickes Kostüm und
  riesige Hüte und eine große Sonnenbrille.
  3 ... ihren großen Hund ... **4** ... aussehenden
  Italiener aus dem ersten Stock? **5** ... hübschen ...
  6 ... das italienische Restaurant ... **7** ... gut ...
  8 ... das neue ... **9** ... eine gute Figur. **10** ... das
  neueste Auto. **11** ... die junge Familie ...
  12 ... der komischen Frisur und dem langen Bart.
  13 ... lustige Röcke. **14** ... süß. **15** ... interessante
  Leute. **16** ... eine lustige Party.
24 **b** schwarz **c** grün **d** blauen **e** blau **f** schwarz
  g grauen **h** rot **i** grün

25 b die Woche c das Jahr d die Frage e die Angst
f der Herbst g der Regen

26 b typ<u>isch</u> c wirtschaft<u>lich</u> d telefon<u>isch</u>
e mona<u>tlich</u> f berg<u>ig</u> g salz<u>ig</u> h sommer<u>lich</u>

Lektion 5

1 a das Hochhaus, die Hochhäuser b der Bauernhof, die Bauernhöfe c das Reihenhaus, die Reihen-
häuser d das Schloss, die Schlösser e das Ein-
familienhaus, die Einfamilienhäuser f das Wohnheim, die Wohnheime g die Villa, die Villen
h das Gartenhaus, die Gartenhäuser i der Altbau,
die Altbauten j das Fachwerkhaus, die Fachwerk-
häuser k das Ökohaus, die Ökohäuser

2 Hausarzt, Hausmeister, Hausordnung, Hausschuhe,
Haustier, Haustür, Elternhaus, Ferienhaus, Krankenhaus, Möbelhaus, Traumhaus, Treppenhaus

3 b Hausschuhe c Traumhaus d Haustür /
Haustiere / Hausordnung / Treppenhaus /
Hausmeister e Hausarzt

4 1 d 2 a 3 c 4 e 5 b

5 würde, würdest, würde, würden, würdet, würden,
würden

6 a Ich würde lieber in der Stadt wohnen, weil ich
gern ausgehe. b Wir würden lieber alleine
wohnen, weil wir unsere Ruhe haben wollen. Wir
würden gern in einem Wohnheim wohnen, weil
dort immer was los ist. c Wir würden gern im
Grünen wohnen, weil wir so viele Haustiere
haben. d Ich würde lieber auf dem Land wohnen,
weil ich die Natur liebe. e Er würde am liebsten
allein wohnen, weil er den ganzen Tag Musik
hören will.

7 a der Vermieter, die Vermieter b der Makler, die
Makler c der Quadratmeter, die Quadratmeter
d die Nebenkosten (Plural) e der Mieter, die
Mieter f die Kaution, die Kautionen g die Einbauküche, die Einbauküchen h der Neubau, die
Neubauten i die Miete, die Mieten j die Tiefgarage, die Tiefgaragen

8 a groß, größer, am größten b klein, kleiner, am
kleinsten c günstig, günstiger, am günstigsten
d teuer, teurer, am teuersten e luxuriös,
luxuriöser, am luxuriösesten f häufig, häufiger,
am häufigsten g zentral, zentraler, am zentralsten
h viel, mehr, am meisten i gern, lieber,
am liebsten j hoch, höher, am höchsten
k gut, besser, am besten l schnell, schneller,
am schnellsten m wenig, weniger, am wenigsten
n dunkel, dunkler, am dunkelsten o alt, älter,
am ältesten p früh, früher, am frühsten
q lang, länger, am längsten r fleißig, fleißiger,
am fleißigsten

9 a höher als b hoch wie c höher als d hoch wie
e höher als f höher als

10 a längste b fleißigste c teuersten d größte
e meisten f kleinste g schnellste h häufigsten

11 **Dialog 1** 5, 3, 1, 7, 2, 4, 6 **Dialog 2** 5, 3, 1, 2, 4

12 1 Wie ist die Adresse? 2 Was sind Sie von Beruf?
3 Haben Sie Kinder? 4 Wie hoch ist die Miete?
5 Haben Sie Haustiere? 6 Wie hoch sind die
Nebenkosten? 7 Wie viele Zimmer hat die Wohnung? 8 Sind Sie verheiratet? 9 Spielen Sie ein
Musikinstrument? 10 Ab wann ist die Wohnung
frei?

13 1 d 2 f 3 g 4 a 5 i 6 b 7 c 8 h 9 j 10 e

14 5, 3, 1, 4, 2

15 1 e 2 g 3 c 4 f 5 d 6 a 7 b

16 a Im Kinderzimmer. b Im Badezimmer. c Im Esszimmer. d Im Schlafzimmer. e Im Wohnzimmer.
f In der Küche. g In der Garage. h Im Garten.

17 a in den b auf den, neben die c ins d in die
e neben die f zwischen die g unter den h ins
i vor das j auf den

18 1 dem 2 den 3 die 4 den 5 vom 6 der 7 die
8 den 9 den 10 im

19 a – b zu c – d zu e zu, zu f – g zu h – i zu
j zu k – l zu m – n zu o –

20 a zu stehen b aufzustehen c zu gehen d anzu-
rufen, zu besuchen e zu bezahlen f zu waschen
g aufzuräumen h zu leben, zu essen i zu erzählen
j zu sein k Vorschriften zu machen

21 a den Müll nicht aus dem Fenster zu werfen b die
Kellertür abzuschließen c das Licht im Keller aus-
zuschalten d die Blumen im Hof nicht zu zerstören e die Musik nach Mitternacht leiser zu
stellen f die Post nicht zu verstecken g freundlich zu grüßen h keine Wäsche im Treppenhaus
aufzuhängen i nicht im Treppenhaus zu singen
j das Treppenhaus nicht zu bemalen k nicht aus
dem Fenster zu springen, sondern die Haustür zu
benutzen l nicht das Treppengeländer hinunter
zu rutschen m beim Waschen das Bad nicht unter
Wasser zu setzen

22 a Ich gebe zu, beim Frühstück immer mit vollem
Mund geredet zu haben. b Es war nicht richtig
von mir, die Zeitung nicht mit anderen geteilt zu
haben. c Es war nicht fair von mir, bei anderen
mit gegessen zu haben. d Ich gebe auch zu, mein
schmutziges Geschirr wochenlang nicht gespült zu
haben. e Es war sehr egoistisch von mir, stundenlang telefoniert zu haben. f Es tut mir leid, immer
zu laut Musik gehört zu haben.

23 a obwohl b weil c obwohl d obwohl e weil
f weil g obwohl

24 a trotzdem b deshalb c trotzdem d trotzdem
e deshalb f deshalb g trotzdem

25 a deshalb b weil c trotzdem d obwohl e weil
f deshalb g trotzdem h obwohl

26 a Ich möchte umziehen, weil die Nachbarn zu laut
sind. Die Nachbarn sind zu laut, deshalb möchte
ich umziehen. b Ich möchte umziehen, weil die
Nachbarn nicht grüßen. Die Nachbarn grüßen
nicht, deshalb möchte ich umziehen. c Ich
möchte umziehen, obwohl die Wohnung super
renoviert ist. Die Wohnung ist super renoviert,

trotzdem möchte ich umziehen. **d** Ich möchte umziehen, weil das Haus keinen Aufzug hat. Das Haus hat keinen Aufzug, deshalb möchte ich umziehen. **e** Ich möchte umziehen, weil Haustiere nicht erlaubt sind. Haustiere sind nicht erlaubt, deshalb möchte ich umziehen. **f** Ich möchte umziehen, obwohl das Haus einen sehr schönen Innenhof hat. Das Haus hat einen sehr schönen Innenhof, trotzdem möchte ich umziehen. **g** Ich möchte umziehen, weil die Wohnung keinen Balkon hat. Die Wohnung hat keinen Balkon, deshalb möchte ich umziehen.

27 alles Gute, etwas Besonderes, etwas Interessantes, das Interessante, nichts Gutes, das Wichtigste, etwas Schönes, das Passende

Lektion 6

1 1 Ausbildung 2 Kindheit 3 Heirat 4 Alter 5 Beruf 6 Familie 7 Schule

2 **a** ziehen, reisen **b** fliegen **c** machen **d** kommen **e** arbeiten **f** bekommen **g** abschließen, abbrechen, anfangen

3 1 e 2 h 3 f 4 d 5 a 6 g 7 c 8 b

4 **b** sein, ... ist ... passiert **c** sein, ... ist ... gereist **d** haben, ... habt ... studiert **e** haben, ... habe ... geheiratet **f** sein, ... sind ... umgezogen **g** sein, ... ist ... gekommen **h** sein, ... bist ... gelaufen **i** haben, ... hat ... abgebrochen **j** haben, ... hat ... angefangen **k** sein, ... ist ... verreist **l** haben, ... haben ... begonnen **m** haben, ... Hast ... eingekauft

5 **b** Wo hast du Opa kennengelernt? **c** Warst du auch im Kindergarten? **d** Wie lange bist du in die Schule gegangen? **e** Hast du eine Ausbildung gemacht? **f** Was hast du nach dem Studium gemacht? **g** Wie lange hast du im Ausland gelebt? **h** Wie viele Sprachen hast du gelernt?

6 **b** Ich habe Opa im Blockflötenkurs kennengelernt. **c** Ich war nicht im Kindergarten. **d** Ich bin 12 Jahre lang bis zum Abitur zur Schule gegangen. **e** Ich habe eine Ausbildung zur Krankenschwester gemacht, dann habe ich Medizin studiert. **f** Ich bin nach Kenia geflogen und habe dort ein paar Jahre als Ärztin gearbeitet. **g** Ich habe insgesamt 20 Jahre im Ausland verbracht. **h** Ich habe viele verschiedene Sprachen gelernt.

7 **a** hast ... gemacht, bin ... umgezogen. **b** ist ... passiert, haben ... gefeiert **c** seid ... verreist, ist ... gefahren, bin ... geflogen, haben ... erholt **d** habt ... bekommen **e** ist ... geworden, getroffen habe, hat ... begonnen

8 denken, **dachte**, gedacht   sehen, **sah**, gesehen   schlafen, **schlief**, geschlafen   bleiben, **blieb**, geblieben   gehen, **ging**, gegangen   treffen, **traf**, getroffen   bekommen, **bekam**, bekommen   bringen, **brachte**, gebracht   schreiben, **schrieb**, geschrieben   beginnen, **begann**, begonnen

9 1 Wollte ... stellte ... wartete 2 ... hielt an.

3 stieg ... küsste ... verwandelte ... 4 ... fuhren ... 5 Wollte ... sattelte ... galoppierte ... 6 ... küsste ... verwandelte ... kletterte ... 7 ... klaute ... 8 ... ging ... 9 ... war ... 10 ... waren ... 11 ... kamen ... hackten ... 12 ... wurden ... 13 ... war ... 14 ... mussten ... 15 ... fühlten ... 16 ... war ... wollten ... 17 Radelte ... wurde ... wollten. 18 ... kam ... durfte. 19 ... zogen ... 20 ... brummten ... forderten ... 21 ... gab ... wollte ... schrien ... 22 ... konnte ... küssten.

10 Ein männlicher Briefmark **erlebte** Was Schönes, bevor er **klebte.** Er **wollte** sie wiederküssen, So **liebte** er sie vergebens.

11 Ich **sehe** nichts. Ich **höre** nichts. Ich **sage** nichts. Ich **schmecke** nichts. Ich **rieche** nichts.

12 **a** die Erfahrung **b** das Gedächtnis **c** das Gefühl **d** das Gehirn **e** die Persönlichkeit **f** die Stimmung

13 **a** Gedächtnis **b** Gefühl **c** Gehirn **d** Stimmung **e** Erfahrung **f** Persönlichkeit

14 1 ... als ... 2 Wenn ... 3 ... als ... 4 ... wenn ... 5 ... als ... 6 ... wenn ... 7 ... wenn ...

15 **a** hatte ... beendet **b** hattest ... aufgelegt **c** hatten ... gedeckt **d** gewartet hattet **e** gesehen ... hatten **f** gehört hatten

16 **a** war ... aufgestanden **b** warst ... weggegangen **c** war ... erschienen **d** gelaufen waren **e** angekommen waren **f** waren ... abgebogen

17 **b** Sie hatten die Zeitung abbestellt. **c** Sie hatten den Schlüssel der Nachbarin gegeben. **d** Sie hatten das Auto repariert. **e** Sie hatten Reisetabletten gekauft. **f** Sie waren ganz früh aufgestanden.

18 **b** Nachdem sie bis drei Uhr morgens getanzt und gesungen hatten, **c** Nachdem die Nachbarn sich dreimal beschwert hatten, **d** Nachdem der Gastgeber auf dem Sofa eingeschlafen war, **e** Nachdem sie sich alle sehr gut amüsiert hatten,

19 **b** bevor **c** nachdem **d** nachdem **e** bevor **f** nachdem **g** bevor **h** bevor **i** nachdem

20 **a** Als sie zwei Jahre alt war, zog sie mit ihren Eltern nach Berlin. **b** Obwohl ihr Vater es nicht wollte, studierte sie Betriebswirtschaftslehre und Jura. **c** Nachdem sie promoviert hatte, arbeitete sie als Rechtsanwältin und Dozentin.

21 ein paar Wochen, stundenlang, letztes Jahr, seit drei Jahren, nächstes Jahr, in zwei Tagen, wochenlang, dieses Jahr, bis heute

22 **a** stundenlang **b** nie **c** später **d** seit zehn Jahren **e** schließlich **f** letztes Jahr **g** oft **h** Früher

23 **b** jetzt – morgen **c** oft – immer **d** selten – immer **e** manchmal – immer **f** einmal – nie **g** kurz – lange **h** Meistens – heute **i** heute – gestern **j** heute – morgen

Lektion 7

1 **a** Rathaus **b** Aussichtsturm **c** Kirche **d** Museum, Museum **e** Park **f** Zoo **g** Schloss München

2 **a** Wir könnten in den Biergarten im Englischen Garten gehen. – Wir würden aber lieber ins

Hofbräuhaus gehen   b Wir sollten unbedingt die Ausstellung in der Alten Pinakothek besuchen. – Wir würden aber lieber ins Deutsche Museum gehen.   c Wir sollten die Oper im Nationaltheater ansehen. – Wir würden aber lieber das Fußballspiel im Olympiapark anschauen.   d Wir könnten im Tierpark Hellabrunn spazieren gehen. – Wir würden aber lieber einen Einkaufsbummel in der Maximiliansstraße machen.   e Wir könnten auf den Turm des „Alten Peter" steigen. – Wir würden aber lieber mit dem Lift auf den Olympiaturm fahren.

3   a Doppelzimmer   b Einzelzimmer   c Halbpension   d Vollpension   e eine Minibar   f behindertengerecht   g den Gepäckträger   h einen Fitnessraum   i zentral   j in der Nähe der

4   1 b   2 a   3 c   4 a   5 b   6 c

5   b ob   c wann   d ob   e ob   f wann   g wie lange   h ob   i welche   j ob

6   b Spricht man dort Deutsch?   c Wann sind dort wenige Touristen?   d Findet man dort auch deutsches Essen?   e Scheint dort im Dezember die Sonne?   f Wann ist es dort besonders heiß?   g Wie lange muss man zum Strand laufen?   h Kann man dort gut und günstig einkaufen?   i Welche Sehenswürdigkeiten kann man dort besichtigen?   j Kostet das tatsächlich so viel?

7   b ... wann genau der Zug abfährt?   c ... wo die Fahrkarten sind?   d ... ob Sitzplätze reserviert sind.   e ... wie viel Zeit wir fürs Umsteigen haben?   f ... wie du das alles in deinen Koffer packen möchtest?   g ... wo ich die Reiseunterlagen hingelegt habe.   h ... wann der nächste Zug fährt.

8   Wir möchten uns nun gerne erkundigen, welche Angebote Sie unserem kleinen Maunzi bieten **können**.   Außerdem möchten wir fragen, ob er in einem Einzelzimmer schlafen **könnte**.   Deshalb würde es uns auch interessieren, wie viele Pfleger dafür zur Verfügung **stehen**.   Bitte, teilen Sie uns doch auch mit, wie teuer ein Einzelzimmer für unseren Maunzi **ist** und was wir für ihn einpacken **sollen**.

9   a stündlich   b geduldig   c vernünftig   d gefühlvoll   e monatlich   f arbeitslos   g telefonisch   h ruhig   i pausenlos   j freundschaftlich   k modisch   l ratlos   m vorsichtig   n humorvoll

10   a alltäglich   b elektronisch   c ärgerlich   d beruflich   e europäisch   f freundlich   g friedlich   h demokratisch   i gesundheitlich   j menschlich   k natürlich   l persönlich   m sportlich   n staatlich   o politisch   p mündlich   q schriftlich

11   1 sie   2 es   3 sie   4 ihn   5 sie   6 uns   7 euch

12   1 ihn   2 ihn   3 ihn   4 ihn   5 ihm   6 ihm   7 ihn   8 ihm   9 ihn   10 ihm   11 ihn   12 ihm

13   1 sie   2 ihr   3 sie   4 sie   5 ihr   6 sie   7 sie   8 ihr   9 ihr   10 sie   11 ihr   12 ihr   13 ihr

14   1 sie   2 ihnen   3 ihnen   4 sie   5 sie   6 ihnen

15   1 Ihnen   2 Sie   3 Ihnen   4 Sie   5 Ihnen   6 Sie   7 Ihnen   8 Sie   9 Sie   10 Ihnen   11 Sie

16   a Dein Anruf überrascht mich sehr.   b Hast du ihn informiert?   c Ich schreibe ihm eine E-Mail.   d Ich bitte dich um eine Antwort.   e Ich bringe dir die Schlüssel.   f Er behandelt sie wie eine Angestellte.   g Gibst du mir bitte den Zucker?   h Ich habe dir das Geld doch zurückgegeben.   i Gestern bin ich ihm zufällig begegnet.

17   a Können Sie *es dem Gast* bestellen? – Können Sie *ihm das Taxi* bestellen? – Können Sie *es ihm* bestellen?   b Können Sie *sie den Gästen* geben? – Können Sie *ihnen die Rechnung* geben? – Können Sie *sie ihnen* geben?   c Können Sie *ihn dem Zimmermädchen* überreichen? – Können Sie *ihr den Schlüssel* überreichen? – Können Sie *ihn ihr* überreichen?   d Können Sie *es der Dame* reservieren? – Können Sie *ihr Zimmer 109* reservieren? – Können Sie *es ihr* reservieren?   e Können Sie *sie dem Herrn* zeigen? – Können Sie *ihm die Parkplätze* zeigen? – Können Sie *sie ihm* zeigen?

18   a Und die Geburtstagskarte für meine Großmutter? – Ich habe *sie ihr* bereits geschickt. *Die* habe ich *ihr* bereits geschickt.   b Und das Buch Harry Potter für meine Nichte? – Ich habe *es ihr* bereits geschickt. – *Das* habe ich *ihr* bereits geschickt.   c Und die Einladung für meine Schwiegereltern? – Ich habe *sie ihnen* bereits geschickt. – *Die* habe ich *ihnen* bereits geschickt.   d Und die Blumen für meine Ehefrau? – Ich habe *sie ihr* bereits geschickt. – *Die* habe ich *ihr* bereits geschickt.   e Und die Zigarren für meinen Schwiegervater? – Ich habe *sie ihm* bereits geschickt. – *Die* habe ich *ihm* bereits geschickt.   f Und der Brief an meinen Bruder? – Ich habe *ihn ihm* bereits geschickt. – *Den* habe ich *ihm* bereits geschickt.

19   a geradeaus   b über die   c entlang   d bis zum   e die zweite Straße rechts   f um ... herum   g rechts in die   h am ... vorbei   i zurück   j die erste Straße links

20   a 1 entlang   2 bis zum   3 in die   4 geradeaus   5 am ... vorbei   6 in die   7 über   8 bis zur   9 entlang   10 über   11 durch   b 1 über   2 in die   3 in die   4 geradeaus   5 am vorbei   6 über   7 durch   8 geradeaus   9 entlang   10 über   11 bis zum   c 1 in die   2 bis zum   3 in die   4 geradeaus   5 bis zum   6 am ... vorbei   7 bis zur   8 in die   9 gegenüber vom   10 bis zum

21   2 Nebel   3 Wolken   4 Eis   5 Sturm   6 Frost   7 Schauer   8 Donner   **Lösungswort:** Gewitter

22   a scheinen   b blasen   c donnern und blitzen   d regnen

23   b Hitze   c Eis   d klar   e klar   f regnerisch   g nass   h heiß

24   a Gewitter   b Wolken – Regen   c regnet – Sonne   d Föhn   e schneit   f Frost